小学館文庫

海とジイ

藤岡陽子

小学館

目次

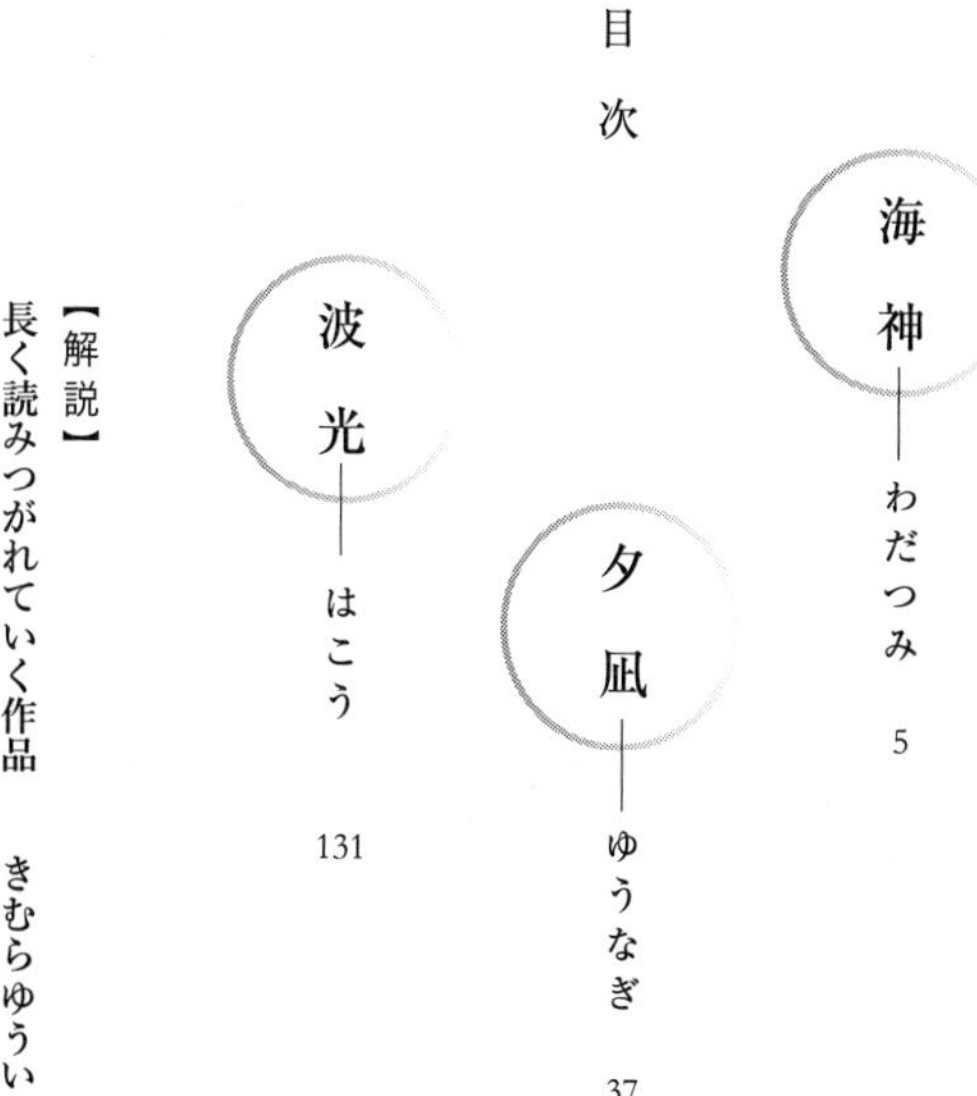

海神

わだつみ

夕飯の支度をするためキッチンに立っていると、電話が鳴った。
濡れた手をタオルで拭いて電話に出ようと思ったら、今度はインターホンが「ピンポーン」と陽気な音を立てる。どっちを先に出よう。真鍋千佳は数秒迷った後、リビングで本を読んでいた息子に、

「優生、電話取ってくれるかな」

と声をかけた。小学四年生の息子はいわゆる不登校児なのだが、家の中で反抗的な態度を取るわけでもなく、千佳の頼みは素直に聞いてくれる。

「はい。真鍋です」

優生が電話に出るのを横目で確認した後、千佳はモニター付きのインターホンのボタンを押した。

『あ、おれ。いまマンション下のエントランスなんだけど、家の鍵忘れたから玄関開けといて』

画面に、枠からはみ出しそうな大きな顔が映し出される。夫の毅だ。

「電話、誰からだった？　……あれ、優生？」

夫のために玄関のドアの鍵を開け、またリビングに戻ったわずかの間に、優生は姿を消していた。消えるといっても息子が家の外に出ていくことはないので、自分の部屋に戻っただけだ。父親が帰ってきたことに気づき、慌てて自室に駆け込んだ

に違いない。

いまから一年ほど前、優生が不登校になった時期から、夫と息子はほとんど言葉を交わしていない。学校に行き渋る優生を毅が怒って殴りつけたことがあり、それからずっとぎくしゃくしたままだった。毅は初めて手を上げてしまった自分を持て余し、優生も体罰に萎縮している。そして妻であり母親の自分は、そんな二人をとりなす術(すべ)を持てずにいた。

それにしても……電話、誰からだったんだろう。

受話器はもう元の位置に置かれていて、履歴ボタンを押して確かめてみると0877から始まる電話番号が残っていた。

「ねえ、この番号どこからだかわかる？」

玄関から入ってきた毅にすぐさま訊(き)いてみると、いともたやすく「おれの地元じゃん」と言われてしまう。地元といっても両親は他界し、彼の祖父と伯母(おば)がいるだけだ。

「いまね、この番号から電話があったみたいなんだけど」

「……なんの用？」

「さあ……優生が取ったからわからないな。百合子(ゆりこ)さんからだと思うけど……。いま優生に訊いてくるね」

毅の顔がみるみる翳っていくのを見ていると、千佳の声もしだいに小さくなっていく。気になるのならかけ直せばいいのにそうしないのは、毅も予感しているからだろう。もし電話をかけてきたのが百合子さんなら、用件はひとつしかないから。

「優生、さっきの電話なんだけど――」

千佳は優生の部屋のドアをノックしながら、先月訪れた毅の故郷、瀬戸内の海を思い出す。天狗様に背中を守られ、優生と見下ろした緑色の海を――。

*

「千佳、悪いけど優生と茉由を連れて、おれのじいちゃんに会いに行ってくれないか」

毅が突然そんなことを言い出したのはちょうどひと月前、小学校の冬休みが終わる頃だった。

「どうしたの、急に」

毅の故郷は、瀬戸内に浮かぶ塩飽諸島という島々のひとつにある。千佳たちが暮らす東京からだと岡山まで新幹線で三時間半、そこから一時間近くかけて瀬戸大橋を電車で走り、香川の多度津という町からさらに船で島に渡る。千佳はこれまで訪れたことはなかったが、毅自身は結婚してからも時間を作って帰省していた。

「じいちゃんが危ないんだ。昨日、百合子おばさんから電話があった」

「危ないって、おじいさんご病気だったっけ」

毅の両親はすでに亡くなっていたので夫方の親戚づきあいはほぼ皆無で、島で暮らす毅の祖父や百合子さんという独身の伯母とも結婚式で会ったきりだ。優生が生まれた時に「優生をじいちゃんに見せてやりたい」と毅が口にしたこともあったが、真鍋家の平屋が狭いことや島には宿泊施設がないと聞いて、千佳が渋り続けてここまできた。

「四年前、前立腺に癌が見つかったって前に話したことあるだろ。それでもなんとか元気にしてたんだけど、さすがにもうだいぶ弱ってるって。おれも行きたいけど仕事休めないしな……」

沈痛な表情で見つめてくる毅を前に、「無理」と即答はできなかった。

「……行ってもいいけど、私と茉由だけじゃだめかな。茉由なら幼稚園もまだ休みだし」

「優生は？」

「だってあの子……いまあんな状態だし」

「でもおれ、じいちゃんに真鍋家の跡継ぎを見せてやりたいんだ。ひ孫を見ればまだひと踏ん張りできるかもしれないし」

「ひ孫に会ったくらいで寿命は延びないよ」

「それはそうだろうけど……。でも優生もいつまでも引き籠もってるわけにもいかないだろう。どうにかきっかけを作っていつかは外に出ないと」

「じゃあ、あなたがなんとかしてよ。優生が外に出られるようにしてやってよ。あの子が家から出られなくなって、もう一年だよ。私は必死で精神科の思春期外来やら教育相談所に通っているのに、あなたなにもしてくれないじゃないっ」

いつしか家中に聞こえるほどの大声を出していた。見舞いの話を発端に、優生のことで溜まっている鬱憤を吐き出している自分に気づいた時にはもう、毅が部屋を出てしまっていた。

優生が不登校になったきっかけは、三年生の体育の授業でお漏らしをしたことだった。

「持久走の時間だったんです。グラウンドを走っている途中で真鍋くんが急に動かなくなったんですよ。その場に蹲ってるから何ごとかと驚いてみんなで彼の周りに駆け寄ったら、足元に水溜まりができていたんです。保健室で下着の着替えとジャージを貸し出しましたから明日洗って返して――」

担任から電話で連絡を受けた時は愕然としたけれど、それでもその時点では、これから先一年間も学校に行けなくなるなんて考えもしなかった。

もちろん千佳は必死で登校させようとしたし、実際に無理やり家から連れ出したこともある。でも結局は泣いて嫌がる息子を、学校に引きずっていくようなことはできなかった。なにより優生が学校に行けなくなった本当の理由が他にあることを知った後は可哀想(かわいそう)でたまらなくなり、もう「学校」という言葉も口にしなくなった。

「おれが小学生の時なんかな、学校でウンコ漏らした奴(やつ)がいたぞ。小さな島だったから島中のニュースになってな。そいつ、中学を卒業するまでベンジャミンって呼ばれてたんだ。でも休んでなかったぞ、学校は一度だって。大便に比べたら小便漏らしたくらいちっさいことじゃないか」

　もともと少々のことでは動じない性格の毅は、そんなふうに優生を慰めたりもした。でももちろん、優生には響かない。小学生の時から大学を卒業するまで少林寺拳法ひと筋。人一倍頑丈で心も強靭(きょうじん)な夫には、千佳や優生の気持ちなどわかりはしない。「骨太で頼りがいがある」という夫の評価は、家族の平穏が崩れた時、「無神経な楽天家」にすり替わる。いまでは優生のことで夫に相談することはなにもない。

　だから本当は、どれだけ毅に強く乞われても、優生を夫の故郷に連れていく気などなかった。

　だが結局は優生のほうから「ぼく行ってもいいよ」と千佳に言ってきた。徐々に険悪なムードになっていく両親の仲裁に入るような形で、息子は一年ぶりの外出を決心してくれたのだ。

「わあっ、お母さん。なんか見えてきたよ。あそこに大きいおじいちゃんが住んでるの？」

甲板から海を眺めていた茉由が、小さな島を指差し叫んだ。五歳になったばかりの茉由は船に乗るのが初めてで、乗船からずっと高いテンションが続いている。

「あれ……かな。あちこちにポコポコと島が浮かんでるから、どれがおじいさんの島なのかわからないな」

船のエンジン音にかき消されないよう大きな声で答えながら、千佳は茉由の隣に立つ優生に目をやる。朝九時に家を出てから六時間近く、まだ一度もトイレに行っていない。そろそろ我慢の限界に来ているんじゃないだろうか。

「優生、トイレ大丈夫？　島に着く前に行っておこうよ。さっき見たら男女兼用の個室があったからお母さんと一緒に入ろ」

優生の耳元で、囁く。

「ね、行こうよ」

柔らかな冬の光が海面にはね返された。眩しさに目を細めながら、優生が首を横に振ってくる。

「そう」

　太陽の光を浴びる優生を見るのは、何か月ぶりのことだろう。不健康な白い肌に、筋肉の落ちきった細い手足。運動をしないからか食べる量も極端に少なく、そのせいで頬の肉も削げ落ちていた。それでも久しぶりに屋外にいる息子の姿が嬉しくて、千佳は船のスクリュープロペラが上げる飛沫と優生の横顔を、交互に見つめていた。

「お母さん、茉由おしっこ」

　しばらくなにも話さず船の揺れを感じていると、茉由が左右の膝頭を擦りつけるようにして小さく叫んだ。その唐突さといったら黄色のない信号機のようなものだ。

「オッケー、すぐ行こ。船のトイレは揺れるからお母さんも一緒に入るよ」

　千佳は茉由の手を引いて船の後方にあるトイレに急ぐ。

「まだだよ、まだ我慢してね」

　二人で狭い個室に入り、自分の体を壁に押しつけるようにしながら茉由のズボンとパンツを下ろしてやる。パンツを下ろすと同時にチョロチョロと尿が飛び出し、千佳は額に浮かぶ汗をぬぐう。

「お母さん、終わった。すっきりした」

「そう、すっきりしたのね。よかった」

「茉由、ほんとはちょっと行きたかったの。お船に乗る前から」

「そうだったの？　次からは早めに言ってね」

早めに言ってね——船内の個室トイレで茉由のパンツとズボンを上げながら、優生はもう何時間トイレに行きたいのを我慢しているのだろうかと息を吐いた。

多度津港を出てからおよそ一時間後、桟橋に船が着くと、二十名ほどの乗客がぞろぞろと陸に上がっていく。千佳たちは列の最後について歩き、桟橋に出迎えに来てくれているはずの百合子さんの姿を探した。顔をはっきり憶えていないので、港にいる女がすべて百合子さんに見えてくる。

船縁に波が当たるちゃぷちゃぷという寂しげな音以外なにもないところから、

「わいが毅の嫁さんか？　遠いところよう来てくれたなぁ」

明るい声が飛んできた。声のするほうを見れば、七十代くらいの女性がにこにこと手を振っている。

「ごぶさたしてます、千佳です」

驚いたのは、千佳たちを出迎えに来てくれたのは百合子さんだけではなかったことだ。「いよいよ危ない」と聞かされていた毅の祖父、真鍋清次が満面の笑みで百合子さんの隣に立っている。てっきり布団の上に横になっているのだとばかり思っていたので、ゴム長靴を履いて手を大きく振っているその姿に、子供たちも両目を見開き言葉を失(な)くしていた。

「この子が優生か。ほんでこのこんまい子が、茉由。うらは塩飽の清じいや。おまえらのとっちゃんのじいちゃんや。わかるか？」

清次のしわがれた声が小さな港に響き、「耳が遠いから声が大きいんじゃ。もう九十五じゃからな」と百合子さんが苦笑いで千佳を振り向く。

「あのぉ……おじいさん、出歩いたりして大丈夫なんですか？　毅さんから容態が良くないって聞いてたから」

乗客たちはそれぞれの家に帰っていったのか、港は船が着いて十分もしないうちに人気(ひとけ)がなくなった。観光客らしき人はひとりもいない。いま千佳たちを運んできた船は十名足らずの乗客を乗せ、多度津の町に引き返していく。

「あのじいさんは無理ばかりするけん、しょうがないんじゃ」

百合子さんが前を歩く清次を指差した後、千佳の肩に掛けていた荷物を持ってくれる。もともと人懐こい茉由は、清次の手にぶら下がるようにして先頭を歩き、優生は少し離れたところをぽつり、俯(うつむ)きかげんについてきていた。

そら豆のような形をしたこの島には、集落が二つあるのだと百合子さんが歩きながら話し始める。北側にあるのが長崎(ながさき)集落。南側にあるのが本浦(ほんうら)集落。特に目立った観光地はないのだけれど、どちらの集落にも両墓制(りょうぼせい)という国内でも珍しい風習が残る。死んだ人の魂を埋葬する詣り墓と、肉体を埋葬する埋め墓。なぜ魂と肉体を別々に埋葬するようになったのかは、いまだはっきりとはわからない。

「昔から海の仕事をする男が多かったから、亡くなってもご遺体が戻らんことがしょっちゅうじゃったんじゃ。だから詣り墓ができたんかもしれんがのう」

白いコンクリートで固められた細い道が、家と家の間を縫うように続いていた。百合子さんはひしめき合うように立ち並ぶ平屋の家々に目をやり「ここも」「あそこも」空き家だと眉根を寄せる。かつては二千三百人ほどの人が暮らしていたこの島も、いまでは七十人しか残っていないという。

「どうした総領、元気ないのぉ。船酔いでもしたんか」

靴の裏を擦りつけるようにして歩く優生を、清次が振り返った。「総領」と呼ばれ、優生はきょとんとした表情を千佳に見せたが、「長男」という意味だと百合子さんが教えてくれる。

「すみません、この子、もともと口数が少なくて」

見舞いに来たというのに、優生のほうが病人みたいだった。清次に話しかけられ、なにか言葉を返そうとしているのが千佳にはわかるが、はたから見ればただ顔をしかめているだけにしか見えない。

「ええんじゃ。毅も、毅の父親も、口は立たんかったけん」

屈託なく笑いかけられ、優生がそっと目を逸らす。ただでさえ小柄な体をさらに縮こませ、優生は自分の姿を隠そうとでもしているかに見えた。

優生の口から彼の本当の苦しみを聞けたのは、不登校になってひと月が過ぎた頃だったろうか。

「クラスにひとり、暴力をふるってくる奴がいるんだ。そいつはぼくがトイレに入ると必ず後をついてきて、殴りかかってくる。トイレの床に倒されて、ぼくが起き上がろうとするとまた殴りかかってくるんだ。何度も何度もにやにや笑いながら。それでぼく、学校のトイレには行かないと決めたんだよ。お母さんには話さなかったけれど、学校では一度もトイレに行ってない。持久走の途中で漏らしたのは、体育の授業が給食の後だったからだ。いつもは残す給食の牛乳とみそ汁を、その日はうっかり全部食べてしまったから……」

それまでずっとだんまりを決め込んでいた優生が事実を打ち明けてくれたのは、母親の限界を感じたからだろう。その日の朝も学校に行こうとしない優生に対して、もうどうしていいかわからずにその場で泣き崩れてしまった時、「お母さんごめんね」と優生は九歳の恥辱をすべて吐き出してくれた。

もちろん千佳はその事実を担任に告げ、優生に暴力をふるった男児の家に乗り込んだ。「もう二度と真鍋くんに暴力をふるいません」男児にそう誓わせた時は、これで苦しみは終わると安堵した。担任も「二度とこんなことはさせない」と真摯な態度を見せてくれたし、四年生に進級する際にはその男児とクラスを別にしてもらった。

だがそんな簡単なものではなかったのだ。優生が負った傷は、母親の千佳やおそらく彼自身が考えるより深いものだった。

暴力による心的外傷——通院している思春期外来の精神科医はそんなふうに説明した。「優生くんの心の中で、トイレと恐怖が密接に繋がっているのです。公共のトイレで繰り返し暴力を受けたことで、外のトイレそのものに脅威を感じているのでしょう」

家以外のトイレにひとりで入ることができなくなった優生は、外出を避けるようになった。病院には通っているが、そこでもトイレは使わない。どうしても我慢できなくなった時は、千佳が個室に一緒に入ることで乗りきっていた。優生はなにも悪いことなどしていない。それなのにこの一年の間に、生きるための大事ななにかを失くしてしまった。覇気、明るさ、自信、そうした人の輪郭を濃くかたどるものを失くしてしまった。

「なんもない島じゃろ」

いつの間にか黙り込んでいた千佳に、百合子さんがのんびりと話しかけてくる。昔の女の人にしては大柄で、のびのびハキハキと島の言葉を話すところが亡くなった義理の母にそっくりだった。義理の母もこの島出身で、いま千佳たちが住む東京近郊でひとり暮らしをしていたのだが、優生が生まれて四年後に心筋梗塞でこの世を去った。毅の父親は彼が小学校二年生の時に亡くなったと聞いているので、ひとりっ子の毅にとっては百合子さんと清次だけが身内になる。

「静かですね、それに猫が多い」

白いのや三毛や黒いのが道端にどっしりと腰を下ろし、表情をくしゃりと崩して餌を乞うてくる。

「人の数よりずっと多いんじゃ。三百匹くらいはおるやろ。いま漁をやってるのは島でたった五軒じゃが、漁が盛んな頃もあったからなぁ」

穏やかな瀬戸内の海を眺めながら、千佳たちはゆっくりと海岸線を歩いた。緑色の海面には波がほとんどなく、風の音が時おり耳をかすめるくらいで他に音もしない。毅はこんな静かな島で育ったのかと、自分の知らない夫の一面を垣間見た気持ちになる。洋服ダンスに、見覚えのない彼の昔の服を見つけた時のような。

「百合子さんは、毅さんのことはよくご存じなんですか」

「そらよう知っとるわ。毅が義妹と島を出るまでは、しょっちゅう会うとったんじゃから」

「昔からあんな感じですか」

「あんなって、どんなじゃ」

「毅さんって、小学生の時からずっと少林寺ひと筋でしょう。体も心も鋼みたいに頑丈で。なんていうか、繊細なところが全然ないっていうか」

千佳がそう言うと、百合子さんは顎を空に突き出し豪快に笑った。

「そんがなことはないわぁ。こんまい時はおとなしい子だったがなぁ。おとなしいというより気が弱いんじゃ。島では弱虫のことを『おとっちゃま』言うんじゃが、あの子は周りの大人からずっと『おとっちゃま』って呼ばれとった。それがある日急に多度津にある少林寺の道場に通いたいと言い出して、それからは人前で泣かんようになったんじゃけど、それまではすぐにピイピイ泣く『おとっちゃま』じゃったわ」

幼い頃は道端で野良猫が死んでいるのを見ても「可哀想」と涙ぐむような優しい子だったと百合子さんは目を細める。こんなに線が細くて生きていけるんだろうかと、自分も、毅の母親も心配していた。そう言って笑う百合子さんの顔を、優生が上目遣いに見つめていた。

「そうじゃ総領、最近失くしたもんはないか？」

前を歩いていた清次が、突然立ち止まって振り返った。

「え……」

優生の戸惑いが、風音にかき消される。

「まあええわ。これから大天狗神社に連れてってやる。大天狗神社はなあ、探しものを取り戻してくださるご利益のある神社なんじゃ。着くまでに半時間くらい歩くから、探しものがなかったか思い出しておけ」

優生に笑いかける清次の顔が白い息で包まれる。冷たい空気に、湿気を孕んだ土の匂いが混じっていた。

「とっちゃん、その体で大天狗神社の石段を上がるのは無理じゃっ。千佳さんら出迎えたら、すぐに家に戻る約束じゃったろ」

意気揚々と歩き始めた清次の背中に、百合子さんの声が突き刺さる。

「なに言ってるんじゃ。はるばる東京から訪ねてきたんじゃ、島の一番の名所を案内せんでどうする」

「都会の人から見れば、ただの寂れた神社じゃ」

「はごなんよっ。天狗様はただの神様じゃないけん。わいも何度か助けてもらったじゃろが。へそくりの場所を忘れた時も、神社を詣でて天狗様に頼んだじゃろ」

人通りのない島の空気は澄みわたり、海から吹きつけてくる潮風には真冬の硬さがあった。それでも前を歩く清次の背中はぴんと張りつめ、とてもではないが癌の末期患者には見えなかった。百合子さんから道すがら話を聞けば、前立腺にできた癌はすでに背骨や肋骨、骨盤にも転移しているのだという。だが癌が見つかった当初から治療はなにもしておらず、骨への転移がわかった時も男性ホルモンの働きを抑える「ホルモン療法」を拒んだそうだ。男性ホルモンを抑えてしまえば骨が脆くなり、背骨の圧迫骨折や股関節の骨折が起こりやすくなるという医師の説明に、「そんなら、うらはせん」の一点張りだったらしい。「九十五にもなった人の言うことじゃから、それならそれでいいわってうらも開き直っとるんじゃ」と苦笑いする百合子さんの目には、割りきれない感情を受け入れてきた人特有の深い色があり、自分たち親子がいま抱えている苦しみを打ち明けたくなる。

清次が、ふいに細道を右に入った。

大天狗神社は山の上にあるとのことで、勾配のある坂道を清次が慣れた様子で進んでいく。黙って後をついてきた千佳だったが、坂道の上にある長い石段を見

上げ、

「ここを……上るんですか」

思わず立ち止まる。神社までの参道はつづら折りの石段になっていて、石段の先ははるか彼方（かなた）に続いていた。

「そうじゃよ。果てしないじゃろ。ほらとっちゃん、千佳さんが驚いてるけん、やっぱりやめたほうがえがろうがや」

百合子さんが清次の足を止めるために大声を張り上げた。だが清次は「どうっちゃない」と振り向きもせず、茉由の手を引きながらなんの迷いもなく石段を上がっていく。優生はさっきからずっと黙り込んだままだ。表情のないその顔からは彼がなにを思っているのかはわからないが、でも文句も言わずについてきている。

「毅もしょっちゅうこの天狗様に詣りに来とったんじゃ」

石段は先に進むほどに急勾配で、まだ五分も上ってないうちに全身が汗ばんできた。さすがの清次も石段の中途にある足休めの踊り場ごとに立ち止まり、フウッと大きく息を吐き出すことを繰り返している。休憩を取るたびになにかひとつ昔話をしてくれるのだが、そのほとんどが幼い頃の毅の話だった。

「毅のとっちゃんはな、あいつが優生よりこんまい頃に死んじまったんじゃ。この清じいの総領息子だった男じゃ。まだ三十五歳の若さじゃったから、そん時はそれはもう悲しかったんじゃ」

肩で息をしながら石段を上り続け、気がつけばずいぶんと高い場所まで来ていた。千佳は両膝にじんと鈍い痛みを感じながら、吹きつけてくる潮風の心地よさに思わず目を閉じる。

毅の父親は、高校で理科の教師をしていたのだと清次が話す。もともと体が弱かったので家業の漁師は継がずに、大学まで出してやろうと夫婦で話し合った。学費を稼ぐために妻も島の郵便配達員として懸命に働き、息子もそれに応えるように勉強をした。そして無事に岡山の大学に入り教職について、頼んだわけでもないのに、嫁も一緒にこの島に戻ってきてくれた。

「多度津にある高校に勤めとったんじゃ。漁師には向かんおとなしい男じゃったが、教師はよう似おうてた。石が好きでな。島に残る有形民俗文化財の埋め墓の研究をしておったわ。石のなにがおもしれえのか、うらにはさっぱりわからんかったんじゃけど」

そんな石好きの静かな男が、ある台風の日、暴風雨から島の船を守るために港に出てしまった。

「そん嵐の頃はもう、この島もだいぶと高齢化が進んでてのう。うらの総領は三十五という若さじゃったから『頼む、力を貸してくれ』と駆り出されたんじゃ。非力ならえに船の扱い方も知らん男が手伝いに行ってなにができるんじゃと、いまなら絶対に行かせんのやけど」

　晴れの日が多く、常に凪いでいる印象の強い瀬戸内の海も、荒れる時は容赦ない。その日は東から吹きつける強風が港の水面を渦巻みたいに泡立たせ、岸壁からの飛沫が視界を塞いだ。船を海に停泊しておいては危険だと判断した漁師たちは、陸に上架させてロープで固定しておこうと話し合った。上架が無理な大型船は係船ロープを両舷の左右に取り付け、桟橋に固定しておこう、と。

「海はもう津波が来たみたいに波打っておったから、みんな必死じゃった。うらにしても、三十を過ぎた息子のことを気にする余裕などなかったんじゃ」

　毅の父親は生真面目な男だった。「このロープを絶対に離すんじゃないぞ」と言われたら死んでも離さない、そんな男だった。

　息子の体が弓のようにしなり大きな弧を描いて海に落ちていくのを、自分はすぐそばで目にした。「絶対に離すな」と言われていたロープを腹の上できつく握りしめたまま、息子は渦巻の中に沈んでいった。突風で飛ばされたのだ。

　誰も助けようのない、一瞬の出来事だった。

「へその緒みたいじゃった。腹の上でロープをつかんでいたうらの総領は、生まれたての赤ん坊みたいに見えたんじゃわ」

清次が睨む先に、凪いだ緑の海がある。

「茉由のお父さんはその時なにをしてたの？　海に落ちた自分のお父さんを助けてあげなかったの？」

どこまで話を理解しているのか、茉由が険しい表情で清次を問い詰める。

「毅はその時まだ八歳だったんじゃ。優生よりこんまかったんじゃ。なにもできんわ」

清次は十五分ほどの休息を終えると、また石段を上がり始める。体が軽いからか、茉由は意外にも弱音を吐かずにひょいひょいとその後をついていく。体力が衰えているはずの優生も、千佳のように肩で息をするようなことはない。

「でもな、その嵐の日を境に、優生と茉由のとっちゃんは、いまから行く大天狗神社にお詣りをするようになったんじゃ」

学校からの帰り道、ランドセルを背負ったままで石段を上がっていく毅の姿がその日から毎日見られるようになった。漁から戻ってくる船上からも、黒いランドセルが太陽の光を集めながら山を上っていく様が見えた。

「うらは、毅が天狗様に『とっちゃんを探してくれ』と頼みに行っとると思ってたんじゃ。海に落ちたまま、うらの総領は還ってこんかったからのぅ」

「違ったの？」

優生がぽつりと問いかける。

優生が自分から言葉を発したことが嬉しかったのか、清次は口をすぼめて間を取ると、

「ああ、違ったんじゃ」

ひくりと眉毛を動かす。

「雨の日も雷の日も、猪が出てもお詣りをやめなかった毅に、うらは訊いたんじゃ。『わいは天狗様になにを探してもろうてるんじゃ？　とっちゃんの亡骸か』と」

「それで、茉由のお父さんはなんて答えたの？」

「強い心じゃ、と言いよった。なににも負けん強い心を探してもらっとるんじゃと、毅はうらに言ってきよった。島一番のおとっちゃまがと、うらはその時、総領が死んでから初めて愉快な気分になったんじゃ」

優生が足を止め、空に続く石段を仰いだ。雨の一滴を待つような顔をしている。

「毅が強くなっていく姿を、うらはこの目で見てたんじゃ。強くなりたいと願った時に、人はもう強うなってるもんじゃ。うらはそのことを、毅に教えてもろうたわ」

海と同じ、薄緑色の鳥居が目の前に現れた時はもう、海に浮かぶ島々が目線のはるか下にあった。海沿いに並ぶ民家の黒や青の屋根瓦が淡い光を帯び、島の紋のごとく煌めいている。

「さあ、あと少しじゃ。優生、茉由、頑張れ。千佳さんもあとひと息じゃ」

薄緑色の鳥居をくぐり抜け、最後の石段を上りきった先に小さな祠(ほこら)が見えてきた。

「あれが天狗様よ」

祠のすぐ左横、清次が指差す先に注連縄(しめなわ)が張られた石垣があり、その岩肌の中に石でかたどられた天狗の顔が浮かんでいる。まるで隠し絵のような石像は、自然の岩に完全に溶け込んでいて、言われなければ見落としてしまいそうだった。

「岩の中に……天狗がいる！」

優生が虚をつかれたようにその場で棒立ちになる。

「さあ優生、天狗様にわいの探しものを出してもらえ」

柏手(かしわで)を打つ清次が、石造りの天狗像に向かって背筋を伸ばす。茉由は清次にならって手を合わせ、頭(こうべ)を垂れていた。

（お母さん、私、この前落とした自転車の鍵、探してもらうね）

茉由が耳元で囁くのに唇だけで笑ってみせ、そのまま薄目を開けて優生の横顔を盗み見る。優生は手を合わせることなく、岩の中に埋まっている天狗の像を食い入るように見つめていた。

「上ってきてよかったじゃろう」

下りの坂道は、踏み外さないよう一歩ずつ慎重に足を出した。上りとは違い、眼下の景色を眺めながらなのでそれほど辛くはない。

帰り道も足休めの踊り場ごとに、清次が休息を取り昔話を語り出す。

「九十五まで生きとると、ええことも悪いこともたくさんあったわ」

連なる屋根瓦の合間から見えていた小さな海が、足を一段踏み出すごとに大きく広がっていく。

「勝つこともあった。負けることもあった」

石段の両側は冬枯れの笹林で覆われていたが、ところどころに野生の南天が生え、その鮮やかな赤色が目を引いた。

「時には逃げることもあった人生じゃ」

誰に向かって言葉をかけているのか、あるいは誰にも向けられていないのか、清次の言葉は白い空に吸い込まれていく。言葉だけではなく清次自身が空に溶けていきそうで、茉由もそれを感じたのか「清じいちゃんっ」と清次の手を取る。風船を繋ぎ止める細い紐を、ぎゅっと握りしめるみたいに。

「ただな総領。逃げてもいいが、逃げ続けることはできないんじゃ。自分の人生から逃げ続けることなど、できないんじゃよ」

同じ言葉を二度繰り返し、清次が優生の頭を優しくつかむ。

「うらの九十五年は、ええ人生じゃった。最後の最後にこんな可愛いひ孫らに会わせてもらえるなんてのぅ。嬉しいのぅ、百合子。嬉しいのぅ、毅。嬉しいのぅ、海の中におる、うらの総領よぅ」

緩やかに波打つ海が、気がつけばすぐ目の前にあった。湿気を孕んだ潮風が全身を通り抜けていく。

「どうした総領、なにをもじもじしとるんじゃ。……小便か?」

優生の太腿(ふともも)に力が入り、両膝が小刻みに震えている。

「こっち来い、立ち小便じゃ」

猪が出るかもしれんけん、もし出たら目を合わすな。清次が優生の腕を取り、藪(やぶ)の中に連れていく。カサカサと枯れた笹をかき分け藪の中に隠れる二人の姿は、あっという間に見えなくなった。

しばらくすると、山鳥の鳴き声に混ざって勢いのある水音が聞こえてきた。ほとばしる水流が枯葉を打ち、四方八方に飛び散る音だ。そのためらいのない自由な音に胸が引き絞られ、千佳は自分の胸を右手で強く押さえる。兄の事情を知っている茉由が嬉しそうに千佳を見上げるのを、百合子さんが不思議そうに眺めていた。

「明日になったら長崎港の墓に連れていくけん。詣り墓に、うらの総領が眠ってるんじゃ。骨は埋まっとらんが魂が遺(のこ)っとる。わいらのじいちゃんに挨拶してやってくれ」

大天狗神社の参道を下りきると、清次は千佳と子供たちにそう言って手を合わせた。今日はもう遅いから明朝、瀬戸内の朝陽が降り注ぐ美しい墓を見せてやる。それから隣島にある石の博物館に行こう、そこにはきれいな石がたくさんあって、と――。

だが、子供たちが墓を見せてもらうことはなかった。

大天狗神社からの帰り道、清次は体を吊っていた糸が切れたかのように前のめりに倒れ、意識を失い、そしてそのまま多度津の病院に緊急搬送されたのだった。

＊

「ねえ、さっきの電話なんだったの」

優生の部屋のドアをノックすると、千佳は扉が中から開くのを待つ。ドア越しにガサガサとなにか作業をしている音が聞こえてくる。

「電話、百合子おばさんからだったんでしょ？　おじいさんのことだった？」

あの日、多度津町内の病院に搬送された清次は、そのまま緊急入院することになった。搬送といっても島には救急車も病院もないために、島の人に船を出してもらい、救急車が待機する多度津港まで運んだ。

驚いたのは、船を出してくれた漁師がふいに漏らした言葉だった。毅の同級生だという男は、優生と茉由を見るなり「わいら真鍋のじいさんのひ孫やってな。ということは、ベンジャミンの子供かぁ」と人懐こく笑いかけてきた。「とっちゃんは元気か？」と目力のある男に訊かれ、「はい、元気です」と答えていた優生の背が、心なしかいつもより張ってみえたのは気のせいだっただろうか。

その後、百合子さんだけが船に乗り込み病院まで付き添い、千佳と子供たちは翌日の朝、フェリーで入院先を見舞った。千佳たちが訪れた時には意識を回復していたが、それでもベッドに横たわる清次からは、前の日に見た精気は失われていた。

「迷惑をかけて悪かったのぅ」

病室で百合子さんと顔を合わせると、彼女はすまなさそうに千佳たちに向かって目を瞬かせた。とてもじゃないが、本当はもう歩ける状態ではなかったのだと、百合子さんは困り果てたように笑う。千佳たちの前で元気に振る舞えていたのは、週に一回、島に回診に来てくれる先生に、痛み止めを射ってもらっていたからだ、と。

「元気な姿を優生と茉由の記憶に留めておいてほしかったんじゃろ。何日前じゃったやろか、穀から電話があっての。優生がもう一年間も学校に行けてないから助けてほしいって。じいちゃん、うらの息子を救ってやってくれないかって。……それで張りきったんじゃわ。普段はほとんど口をきかんじいさんやのに、一年ぶんほど喋ってのぅ。伝えたいことがたくさんあったんじゃろ……」

千佳がなにも返せずにいる間、優生と茉由は数本の管に繋がれた清次の頭側にしゃがみ込み話しかけていた。清次は酸素マスクをずらし、二人だけに聞こえる小さな声で言葉を繋いでいる。なにを話しているのか、三人はしばらくふわふわと喋り続け、その様子は凪いだ海を漂う三艘(そう)の船のようだった。

「清じい。ぼく、学校に行けてないんだ。……もう一年間も」

　優生が突然声を張ったのは、そろそろ病室を後にしようという時だった。

「本当は行きたいけど無理で……」

　言いながら優生はベッドサイドに屈(かが)み込む。

　清次は点滴に繋がれているほうの手を力なく持ち上げ、優生の頬に触れた。頬を撫(な)でられるままにしている優生の耳元で、唇を動かす。

「ええな、約束げんまんじゃ」

　清次が口端を上げて微笑(ほほえ)むと、優生は瞬(まばた)きだけで頷(うなず)いた。

　二人の間でとても大事な約束が交わされているのだとはわかったけれど、それがなんの約束だったのか、優生はその後も決して教えてはくれなかった。

　でもあの日、優生はひとりきりで病院のトイレに向かったのだ。青ざめ、唇を噛(か)みしめるようにして、薄暗い病院のトイレに入っていった。

＊

部屋のドアが中から開き、優生が仁王立ちになっているのが見えた。頬に涙の跡が残っている。

「清じいが死んだ。午後六時十八分のご臨終だったって、百合子おばさんが電話で教えてくれた」

語尾がつぶれ、喉の奥で涙を飲み込む音が小さく鳴る。

「そう」

頷きながら思わず目を見張ったのは、優生がランドセルの肩紐を右手に握りしめていたからだ。まだ三年足らずしか使っていない黒いランドセル。四年生になってからは一度も背負っていないランドセルが、彼の手の中でよそよそしく光っている。

「優生……それ」

「明日から学校に行く」

「え？」

「約束したから。清じいが死んだ次の日から、ぼくは学校に通うって。どんなに怖くても行くって二人で決めたから」

うらが死んだら、その日のうちに優生の元に行ってやるけん。

うらの魂は詣り墓には入らん。

じゃから葬式には来んでええ。

その代わり、うらが死んだ翌日は、わいの決戦の日じゃ。

大丈夫。心配はいらん。うらが天狗様に「総領の探しものを見つけてやってくれ」と頼んでおいたから、この戦いは必ず勝てるんじゃ。

「お母さん。ぼくも強くなりたいんだ」

ぎゅっと力を込めて肩紐を握り、優生がランドセルを背負った。

千佳はその場で両膝をつき、ランドセルごと優生の体を抱きしめる。

「お母さん。上履きさ、新しいの買ってくれないかな。いま履いてみたらきつかった」

優生が笑っていた。

「うん。わかった」

抱きしめた手をほどいて顔を上げると、涙のせいで、せっかくの笑顔が歪(ゆが)んでみえる。千佳があの日天狗様に願った探しものは、息子の笑顔。千佳がこの一年間苦しみながら探し続けたのは、この笑顔だけだった。

もう一度、優生の体に両腕を回す。髪に顔を埋(うず)めるように抱きしめる。

目を閉じれば、湿気を孕んだ潮風が子供部屋に流れ込んできた。

夕凪

——ゆうなぎ

「これで終わりですか？」

最後の患者の診察がすみ、月島先生がいつもの言葉を口にした。

「はい。最後です」

私は頷くと、聴診器をアルコール綿で拭いた。何十年も聞いてきた言葉なのに、いまは先生の「オワリ」という声が特別な響きを伴って私の耳に居座る。時計を見ると六時を少し回っていた。

「なんか疲れたな。ごくろうさま。きみもできるだけ早く帰ってください」

椅子の肘掛けを両手で押し出すようにして立ち上がると、月島先生はゆっくりと診察室を出ていく。私は無言で後ろ姿を見送り、先生の背中に影が張りついていないかを確認する。長年看護師をしてきた私は、うまく説明できないが、人の背中に「命が終わる影」を見ることがある。

診療所の二階が自宅になっていて、仕事が終わると先生は階段を上って自室に戻る。階段を踏む重く厚い足音が、古い診療所全体に響いた。

一日の診療が終わる、この時間が好きだ。患者のいなくなった待合室は病人臭さを残したましんと静かになり、かすかに消毒液の匂いが漂う。ブーンと小さな音を響かせながら待機しているレントゲン現像機の電源を落とすと、今日も仕事が終わったという気持ちになった。

「次んとこ、決まりました？」

　金庫内のお金の計算をしていた医療事務の水鳥さんが、手を止めて声をかけてきた。診察室も待合室も電気を落とし、水鳥さんが立つ受付だけに蛍光灯が光っている。

「まだ決めてないけど……」

「ですよね？　そんなすぐには決まらないですよねえ。もうっ、面倒くさい」

　水鳥さんは言いながら、金庫の蓋を音を立てて閉じた。

「先生はここ閉めてどうするんですか？」

「それは……聞いてないけど」

「開業医って定年とかありませんよねえ？　月島先生って何歳くらいなんです？　まだあと数年はできるんじゃないですか？」

　水鳥さんが受付の蛍光灯を消すと、視界が急に暗くなった。でもそれも数秒くらいのことで、しだいに目が慣れてくる。

「七十代後半くらいじゃない？　まだ現役でできるとも言えるし、引退を考えてもいい歳だとも言えるけど……」

　私は言った。

　いまからひと月ほど前、月島先生から突然、六月いっぱいで診療所を閉めると言われ、たった二人きりの従業員である私と水鳥さんは慌てている。言われてみればここ数か月間、塞ぎ込むように考えごとをしていたかと思えば、突然二階に上がりどこかへ電話をかけたりと、先生らしくない落ち着きのなさがあった。

「なんなんですかね、そこそこ患者さんも来てるし、経営が厳しいってわけでもないのに……。いきなり閉院なんて」

水鳥さんの言葉に頷くと、胸にじわりと暗い気持ちが広がる。続いていくと思っていた日常がなくなることに、不安が落ちる。

「いいですよね、志木さんは看護師だし。引く手あまたじゃないですか。どこででも再就職できますよ」

胸の前で腕を組みながら、水鳥さんはふて腐れる。それでもまだ三十代前半で、実家に住む水鳥さんは口ほどには困っていないのだろう。

仕事を終えた私たちは休憩室に向かって歩いた。

「どこでもなんて、できないわよ。だってあたしもう四十八よ。かれこれもう二十一年間もここにいるのよ。いまさら病院に戻ったところで、ついていけない。まず体力が持たないわ」

ストッキングを脱ぎジーンズに穿き替えると、私は大げさに息を吐いた。水鳥さんの言葉を軽く返すつもりで吐いた冗談っぽいため息のつもりが、粘っこく耳に残る。

診療所の前で水鳥さんと手を振って別れると、自転車に乗って緩やかな坂を下っていく。馬込文士村と呼ばれるこの辺りは坂が多く、自転車で移動するのはけっこう大変なのだが、職場までの往復は慣れたものだ。午後六時に勤務が終わり、特別なことがない限りはたいてい六時十五分には診療所を出て、近所のスーパーに夕食の材料を買いに行く。これくらいの時間になると地元の主婦たちは買い物をすでにすませているので、店内はすいていて、惣菜のパックにはそろそろ値引きシールが貼られていく。買い物を終えて家に帰る時間は決まって七時前だった。

「ただいま」

と、誰もいない部屋の中に向かって言ってみる。洗濯物をカーテンレールに引っかけていたので、生臭いにおいが漂っている。

職場から自転車で二十分近くかかるこの部屋に住み始めてもう十二年になる。ここに来る前はもうひと部屋多いところに男と住んでいたのだが、別れたのをきっかけに以前の住処は引き払った。ずいぶん前の話なのだが、男と暮らしていたマンションの前を通ることがあると、やはりまだ暗い気持ちになる。

月島診療所で働き始めたのは、私が二十七歳の時だった。それまで都内の大学病院に勤めていたのだがあまりに忙しく、結婚を考え始めていた私は、夜勤がなく規則的な勤務ができるような職場を求めていた。

面接の日、月島先生は生真面目な表情で椅子にかけていた。先生以外は誰もおらず、午後の診療が終わった後だったので、室内は静かで寂しい感じだった。

「こんなところだが、やっていけそうですか？」

志望動機や経歴などを質問することなく、先生は初めにそう訊いた。履歴書は机の上に置かれてあったので一応は目を通したのだろうが、もう採用が決まったみたいに言うので、かえってこちらが不安になった。電灯が暗かったことや、診療後の疲労が滲んでいたこともあるのだろうが、医者にしては生気のない人だなという印象を受けた。

面接を終えて診療所の玄関を出ると、木の板に書かれた黒い字面の「月島診療所」の看板が目に入った。看板は夜に消されていて、そのことが私を頼りない気持ちにさせた。最新の医療機器があるわけでもなく、人通りの多い場所に立っているわけでもないこの診療所に雇われて大丈夫だろうかという思いがふと頭をよぎった。でもまあいずれは結婚するのだし、結婚して子供ができるまでの繋ぎだと思えば、ささやかな不安は振り払えた。その時はまさか二十一年も勤めるなんて、まして月島診療所が閉院するのを見届けることになるなんて思ってもみなかった。

六月も二週目に入った木曜日。朝から雨が降っていた。勢いはないが長く繋がって降る細長い雨で、外気は灰色に濁っている。こんな日は決まって患者が少ないものだが、今日はまだひとりも来ていない。

「ねえ志木さん。これ全部確認するんすか？」

水鳥さんが不機嫌な声で言う。暇なので、朝からレントゲン写真の整理をしているのだが、十年ほど前に一度整理したきりなので、けっこうな量がある。

「うん、一応ね。規則だから」

法律によると、病院のレントゲン写真は三年間、カルテは五年間の保管が義務付けられている。月島先生はレントゲン写真も過去五年間分は残しておきたいらしく、私と水鳥さんはその分別をしているのだが、五十音順に並ぶレントゲン写真の、いまはまだカ行までしか来ていない。

「無理無理。こんなのあと三週間で終わらせるなんて絶対無理ですよお。なんだよお、この量。先生も手伝えっつうの」

月島先生も最初のうちは一緒に分別していたのだが、そのうちフィルムを取り出して蛍光灯にかざしたりするものだから遅々として仕事がはかどらず、私から手伝いを断ったのだった。

「ごめん。あたしがもっとちゃんと整理しとけばよかったんだけど……」

「いえいえ、志木さんのせいじゃないですから。あっ、この人こないだ亡くなった人じゃん。亡くなった人のは捨てていいですよね」

亡くなった人の氏名に出合うと、骨の写真なのに懐かしい。往診先で先生と二人、これまで何人もの人を看取ってきた。慣れ親しんだ患者が亡くなると、自分の居場所をひとつ失ったような気持ちになった。いつの頃からか、先生の最期を看取るのは私だろうと思っていたが、根拠のない自惚れだったのだろうか……。

「ああまた志木さん手が止まってる。氏名読んでちゃだめですよっ。袋に書かれた日付だけチェックして、五年以上前のものはちゃっちゃと捨てていかないと」

慣れてきたのか水鳥さんはどんどん手が速くなっている。もともと仕事のできる人なので、新しい職場でもすぐにやっていけるだろう。

「でもこうやってみると、骨って美ですよね。どんな太った人でも骨を写すと細く尖って……この鎖骨のラインが、ねえ」

早く早くと私に注意していたくせに、水鳥さんは袋から一枚のフィルムを抜き出し、光にかざし眺めている。

「志木さんも昔は病院でこういう骨、実際に見たんですか?」

「う……ん、あたしはないかも。ずっと内科病棟だったし。手術部なんかだと毎日見るのかもしれないけど」

「ふうん、そういうもんなんですか。でも先生は見てたんでしょうねえ? 私、骨にはけっこう興味あるかも」

　水鳥さんはそう言いながら、胸のレントゲン写真を袋にしまった。

「先生は脳外科医だったから、骨といっても頭蓋骨でしょうね。でもまあ学生時代や研修医の時は全般やってるはずだから……」

「ええっ。月島先生って脳が専門なんですか？　いままで知らなかった」

　水鳥さんが大きな声を出すので、私は先生が起きたかもしれないと思い、診察室を覗く。先生はさっきから椅子に座ったまま居眠りをしている。両腕をだらりと肘掛けに置き、手を膝に置いて俯きかげんで静かに眠っている。居眠りをする時はいつもこの姿勢だ。

　診療所では町医者として主に内科の患者を診ている先生だが、時々は小さな傷の外科処置を診療所内ですることがあり、その際の縫合の手つきがやけに器用なので訊ねたら、以前は脳外科医であったことを教えられた。なるほど脳の血管を縫っていた人だけあって、その縫合痕は細やかで、普通の外科医が二針、三針で縫うようなところを、五針、七針の細かさで縫うのだった。

「志木さんって月島先生のことなんでも知ってますよね。私なんか働いて九年になるのになんも知らないですよ」

　水鳥さんが言った。結婚するまでここで働くつもりだったのにと、唇を尖らせる。

「あたしが知ってることなんて、わずかなことよ。こんなに長く勤めていて、ほんとになんにも知らない」

「じゃあ先生が独身の理由は知ってます？　初めはびっくりしましたよ、診療所の二階にひとりで住んでるって聞いて。孤独すぎるじゃんって」

水鳥さんは大げさな口調で言った。私は「さあ」と曖昧な笑みを浮かべて首を傾げ、彼女の言葉を流す。

「個人的な話というか、そういう込み入った話ってあんまりしないから、先生とは」

私は言った。

「そりゃま、そうでしょうけど」

水鳥さんはそう言うと、とりあえずここまでにして、続きは居残りしてやりましょうよと笑った。ようやくサ行に入ったところだったが、入り口のドアが開き、患者が入ってきた。患者の雨合羽から滴る雨水で、待合室の床が濡れる。水鳥さんはタオルを手に、患者の元に走っていく。

本当のことをいえば、月島先生は初めから診療所の二階に住んでいたわけではなく、さらにいえば独身だったわけでもなかった。しかしそのことをあえて水鳥さんに言う必要もないかと思っている。

「へこみますよ。患者さん、やっと来たと思ったら石上さんですよぉ」

診察室の奥にある処置室で薬品の整理をしていると、水鳥さんがやってきて耳元で囁いた。雨合羽を着ていたからわからなかったが、いま来たのは石上さんだったのか。石上さんは定期的に来院して薬を持ち帰る、まだ三十代の健康な人だ。

「石上さんだったらへこむの？　なんで？」

私は不思議に思い、水鳥さんに訊ねた。

「だってプロペシアですよ、処方。毛生え薬、ですよ。そういうのへこみません？」

「毛生え薬だったらなんで水鳥さんがへこむの？」

「だって、私と志木さんならいいって思ってるってことですよ、石上さん。普通もらいにくくないですか、薄毛の処方箋なんて。なのにあの人、うちならもらいやすいと思ってるんですよ。自宅遠いくせにわざわざ来てるんですよ」

「考えすぎじゃない？」

「いや絶対ですよ。だって可愛い女の子が受付や看護師だったら嫌じゃないですか？　その手の薬もらうのって。だからあえてうちに来てるんだって。ちきしょう」

自分も痔の薬を買う時には、カッコイイ店員のいる薬局は避けるのだと水鳥さんは言った。「プロペシアとかバイアグラの処方箋出す時は、なんか複雑ですよ」

水鳥さんの話を聞きながら、私はなるほどと思った。自分たちが女として見られていないという論に納得したわけではなく、先生ならなんとなく話しにくいことを話せるのかもしれないと思ったのだ。特別に優しいわけでも慈悲深いわけでもないが、感情を出さず淡々と、それでも集中しながら患者の話に耳を傾けるようなところが先生にはあった。話上手で愛想のよい医者を好む患者には人気のない月島先生だが、中には医師の笑顔を信じない人もいて、そういう患者に支持されている。

「そんな気にすることでもないんじゃないの？」

まだぷりぷり文句を言っている水鳥さんに向かって私は笑いかけた。処方された薬から患者の心情まで読み取っていたのでは、身が持たない。

「志木さんはいろんなこと気にしなさすぎるんです。だからあんなハズレ男と長いことつきあってしまったんですよ」

水鳥さんの屈託のない言い方に思わず苦笑する。彼女には昔の彼のことを時々話すが、「話を聞いてるだけでその人パス」とばっさり言われてしまう。でも若い水鳥さんにはきっとわからない。そんなハズレ男を必要とするくらいに、寂しい暮らしがあるということを。

石上さんが歩いた場所に、雨水の点々ができているのに気がつき、倉庫からモップを持ってくる。十人も入ればいっぱいになるような小さな待合室は、掃除をするのも簡単だった。雨水を拭き取るついでに、隅から隅までモップをかけておく。

「志木さん」

診察室に続くドアが開き、月島先生が顔を出した。「ちょっと」と先生が呼ぶのでモップを壁に立てかけ、診察室に入ると、

「閉院を知らせる葉書、送ってくれませんか。これがリストだから」

と名前と住所が記された一覧を渡された。

「毎年、賀状を出す人たちに少し加えたんだが、印刷屋に至急で頼んでもらえますか？」

先生はすまなさそうに言った。

「わかりました。いつもの印刷屋さんでいいですか？　文面は……これですね」

無地の便箋に万年筆で書かれた文字が挨拶文らしく、賀状に比べると長めに綴(つづ)ってあった。パソコンが普及する以前は、賀状の裏面の印刷はともかく、表の宛名書きは医療事務の人と私との二人でやっていたものだ。三百枚近くある宛名を手書きする作業は、ほとんど苦行に近かったが、夜遅くまで居残るその仕事は一年の締めくくりとしてそれなりに達成感を味わったものだった。間に合いそうもない時には、先生の奥さんが手伝うこともあった。

そう、私が働き始めた頃、先生は家族と暮らす自宅から診療所に通勤していた。東急池上線(とうきゅういけがみせん)沿いの洗足池(せんぞくいけ)駅近くに自宅があり、そこで奥さんとひとり息子の博一(ひろかず)くんと暮らしていた。当時まだ博一くんは小学生で、たまに診療所にやってきては

奥さんに叱られながらいろんな器具を手当たりしだいに触っていたのだが、いつからかぱったり来なくなった。そのうちに物置にしていた診療所の二階が改装され、先生が引っ越してきたのだ。どうしたんですかと訊ねると、「離婚して今日からひとりで暮らすことになった」と、言葉少なに先生は言った。私もそれ以上のことは訊かず、それからいつの間にか月日が経(た)ってしまった。奥さんと博一くんがいまどこでなにをしているのか私は知らないし、たぶん先生も知らないような気がする。

五十音順に並べられたリストを、ぼんやりと目で追っていくと、引っかかる氏名があった。「篠沢巻(しのざわまき)」というところで、視線が止まる。

「巻……?」

先生の奥さんだった人だ。月島巻……。巻という漢字を使った名前は珍しいので記憶にあった。住所を見てみると、宮城県仙台市(せんだいし)になっている。

木曜の午後は休診になっているので、先生と私は遠くのほうまで往診に出かけていく。数年ほど前から、先生は在宅医療に力を注ぐようになった。それまでは、時間外の診療は週に一度と決めていたのに、いまはどんな時間帯であっても緊急であれば電話一本の呼び出しで出かけていく。私がいない時はひとりで診に行くこともあるようで、朝出勤すると使い終えた点滴パックや空のシリンジが往診カバンにそのまま残っていることがある。

「十五号線、混んでますね。どこか抜け道ないですかね」

助手席に座り、窓の外を眺めている先生に向かって言った。普段なら私が運転をする傍らで先生は居眠りしているのだが、今日は珍しく起きている。

「まあゆっくりでもいいじゃないですか。あと一軒、室井さんのお宅が残ってるだけでしょう？　室井さんは時間にうるさい人じゃないし、ぼくも今日は他に用事があるわけじゃない」

「医師会に顔を出さなくていいんですか？　当番制の時間外診療、木曜の夜間は先生の番じゃなかったですか」

「他の人が交代してくれてね。ぼくはもう高齢者だからって」

冗談を言うふうでもなく先生は口にした。

「それにしてもおかしな天気ですね。晴れてるのに雨が降ってるなんて」

ワイパーが左右に振られる音だけがしんとした車内に響き、沈黙に耐えきれなくなった私は言った。ラジオでもつけたいところだが先生が音楽を聴いているところは、見たことがない。

「天泣だな」

「なんですか、てんきゅうって」

「晴天の空から降る雨のことだよ」

先生は言いながら、曇った窓ガラスに指で「天泣」と書き、

「天が泣くとは、なかなか凄みのある雨だな」

と頷いた。

「あたしはこういう雨のことを、狐の嫁入りって呼んでました。でも天泣のほうが素敵かも。それにしても、どうして晴れてるのに雨が降るんだろ。子供の頃からの謎でした」

「ああ、それは、雨が地上に落ちるまでに雲が消えてしまったり、よそでできた雨が風で流されてきたり、あるいは人の目に見えないくらいの薄い雲が雨を降らしたり。理由はいろいろあるんだそうですよ」

人の目に見えない薄い雲はぼくたちの心の中にもありそうですがね、と呟き、先生は窓を開けて外に顔を出した。閉ざされていた車内に雨の音や雑多な騒音が流れ込んでくる。

「雨で空気がきれいになったはずなのに、排気ガスの臭いがきついな。東京中に充満している臭いだ」

先生は苦い顔をしながら、雨がかかったのか、上着の袖で顔を拭いた。

「運転のうまい看護師さんで助かりました」

交差点を抜け車がスムーズに流れ出すと、先生がゆったりとした口調で言った。

「あたしが来る前は誰が運転してたんですか？」

「もちろんぼくだよ。でも患者の家に着くまでずいぶんと時間がかかったものです」

運転が嫌なのでタクシーで往診することもあったのだと先生は言った。子供時代から反射神経が鈍く、運動もからっきしだめで、体育の時間が苦痛でしかたがなかったという話は、以前聞いたことがある。

「ずいぶんと失敗したな。運転に関しては」

一方通行に気づかず逆走したり、狭い袋小路に迷い込んで身動きが取れなくなったりと、立ち往生したことは数えきれないと先生が眉をひそめる。

「きみに辞められたらかなわんなと思ってましたよ。仕事ができる上に運転までうまい看護師さんは、そうそう見つからないから。いつ『辞めます』と言い出すか、内心心配してました。でも最後まで残ってくれて、よかった。感謝しています」

先生に改まった礼を言われることなど初めてで、きちんとした挨拶などまだ先だと思っていた。私は戸惑い、なんと返せばいいかわからず、黙った。

先生と言葉を交わす最後の日が迫っていることを実感する。

「ここで昔、警官と喧嘩しましたね」

蓬莱坂と呼ばれる長い坂道を上っている途中、右に折れる場所があり、その鋭角な曲がり角を指差した。以前、その道が一方通行であることを知らずに右折した私が警官に止められ、大喧嘩をしたことがある。

「あれは……向こうが悪い。こちらは緊急で、処罰は後から必ず受けると約束しているのに杓子定規な対応をするものだから」

　これから訪問する室井さんの夫がまだ存命だった頃の話だから五、六年前のことになるだろうか。主人が息をしていないので来てくださいという慌てた電話が入り、救急車を呼ぶのと並行して先生も駆けつけたのだ。事があれば救急車に同乗していくつもりで、先生は診療所を閉めていくようにと言った。ナビを見ながら私は室井さんの家を探し、近所だということもあって十分もかからず付近までたどり着いた。その時、失敗したのだ。一方通行のこの角を逆から曲がってしまった。先生は警官に向かって三十分だけ待ってくれるよう頼んだ。丁寧な口調で頭を下げ、珍しく懇願するような態度だった。だが警官は頑なに先生を足止めし、怒鳴り合いになったのだ。結局運転手である私だけが残り、先生はひとりで室井さん宅に走ったのだが室井さんはすでに臨終を迎えていた。

「仕事ができるというのは、決められたことをこなすというだけではなく、自分の職業に込められた意味を知り、なんのためにその職務を遂行するのか考えながらやり遂げることだとぼくは思う。あの若い警官は、ぼくたちが職務を終えるのを待つべきだったんじゃないかな」

夫が亡くなってからしばらくして室井夫人も体調を崩し、先生が往診をすることになったが、あの日の警官と出会うことは一度もなかった。もしかしたら先生の剣幕を憶えている警官のほうが避けているのかもしれない。


室井さん宅での往診が長引いたので、帰る頃には雨は上がっていた。

「腹がすきませんか？」

診療所に向けて車を走らせていると、先生は小さな声で言った。昼食を取らずに往診に行ったものだから、腹が減ってたまらないのだ、と。

「つきあってくれませんか」

もし急ぎの用事がなかったらと、先生は付け加えた。

実は私も昼に菓子パンをひとつ齧っただけだった。これまで、幾度となくこうして往診をこなしていたが、先生に昼食を誘われるなんてことは初めてだ。

「ハナムラに行こうか。女将にも閉院することを伝えておかないと」

ハナムラは診療所から歩いて十五分くらいのところにあるよく知った料亭だった。月島診療所では年に二回、春の花見と忘年会を開くのだが、ハナムラはその会場にもなっている。

顔なじみの女将に庭が一望できる窓際の席に案内された私は、先生と二人きりで向かい合う居心地の悪さに逃げ出したいような気分になる。いつもならここにおしゃべりな水鳥さんが加わり、主に彼女の話を聞くことで場が持つのだが、今日は彼女に頼るわけにもいかない。

「あの……。篠沢巻さんというのは、先生の奥様だった方でしょうか」

他に話題もなく、私は唐突に疑問に思っていたことを口にした。最後に取ってあった好物のトロをいままさに口に入れようとしていた先生の手の動きが止まる。しまったと思ったが、私はすぼんでいく先生の細い目から視線を外せない。

「リスト、かな……。よく記憶していたことだね、彼女の名前を」

先生は諦めたように目を伏せると、箸に挟んでいたトロを重箱に戻した。

「はい……すいません」

「いや、謝ることはなにもない。どちらにしろ、きみに印刷を任せてたんだから、隠していたわけでもないんですよ。ただよく彼女の名前を憶えていたね。すごい記憶力だ。別れてもう二十年が経ったというのに」

先生は私が巻夫人と面識があるということを忘れていた。賀状の宛名書きを手伝ってもらった時のことを話すと、目だけで笑う。

「診療所を立ち上げた時にはずいぶん世話になった人だから、閉めることの報告くらいはしておかないといけないと思ってね。向こうは再婚をして新しい家族もあるんだが」

離婚後は故郷(ふるさと)の宮城に戻り、そこで新しい生活を始めたというところまでは知っているのだと、先生が言った。私にとっては初めて聞く巻夫人のその後だった。

「連絡を取ったりするんですか?」

「いや。別れてからは一度……いや二度ほどかな、電話で話しただけですよ。ぼくには息子がひとりいたのだが、それが結婚をする時に報告があってね。でもそれきりですね」

その際にはお祝いを贈ったが、息子と直接話すことはなかったと、先生は言った。

「あの子ともずいぶん長く会ってないが、それもいいと思う。彼には新しい父親ができたのだから、ぼくと会っていてはしようがない」

先生はそう強い口調できっぱりと言い、そしてその後、

「ぼくの知っていた十一歳の子供が、いま三十一で、一児の父親だそうですよ」

と小さな声で付け足した。

私は、少年だった博一くんの面影を思い出そうとしたが、無理だった。男の子にしては華奢(きゃしゃ)で色が白く、神経質そうな目が先生に似ていると思ったことだけは、憶えている。

「そろそろ行こうか」

思い出を振りきるように先生が立ち上がり、テーブルの上の伝票を手にした。私もつられて腰を上げ、先生の後ろを歩いていく。八十近いとはいえぴんと伸びた背を後ろから見ていると、やはり引退は早いのではと思う。

食事の際に先生は熱燗を一本、私もビールを飲んでいたので、車は駐車場に置かせてもらい、歩いて帰ることにした。ここから池上本門寺を通り抜けて歩けば、診療所に着く。空は曇っていてさほど暑くもなかったので、腹ごなしの散歩にはちょうどいいかもしれない。

「先生、どうして突然閉院しようと思ったんですか？」

緩やかで幅の広い坂道を並んで歩きながら、私は訊いた。頭上を覆うように樹木の葉が生い茂っているために、葉から水滴が、ぽたりぽたりと落ちてくる。先生の顔にも何粒か水滴が落ちたので、私はハンカチを手渡す。

「突然……でもないんです。いや、やはり突然かな」

ありがとうと呟き、水滴をぬぐいながら先生が口ごもる。

「引退はまだ早いんじゃないですか？」

診療所を閉めてしまったら先生も終わりになるんじゃないですか……。そんな嫌な予感を追い払うため、明るく言った。

「そうでもない。目も悪いし、記憶力もずいぶんと落ちた。そのうち耳もだめになってくる……。引き際は潔く、です」

自嘲気味に笑うと、先生は力道山の墓でも見ていくかなと呟き、ふらりという感じで寺の中の小道を折れた。

「一度志木さんに見せてあげようと思っていた。見たことないでしょう？　この寺の名所でもある力道山の墓を」

先生は迷いのない歩調で墓所を縫っていくと、ひときわ大きな墓碑の前で立ち止まった。高さは通常の墓石の三倍ほど、敷地は十倍ほどあるだろうか。「力道山之碑」と刻まれた墓碑を指差すと、先生は笑顔を見せる。立派な墓碑だった。

「彼は、ぼくが七歳の時に力士として幕入りしたんだ。最初は相撲取りだった。だがそれから五年後にはプロレスラーに転向した。八百長をしたしないでいろいろ騒がれたけれど、ぼくからすればとてつもなく強いプロレスラーだった。志木さんは何年生まれだったかな？　彼が暴力団員に刺されて亡くなったのは一九六三年だから、生まれる前の話だろうか。あっけない死に方をしたけれど、強いまま逝ったな……」

左手に持った往診用の黒いカバンを目の辺りまで掲げると、先生は右の拳でカバンにチョップを入れた。普段の先生からは想像できないふざけた仕草に、思わず笑ってしまう。

「先生でもプロレスなんか見てたんですか？」

「もちろん、見ましたよ。プロレスがテレビ中継されたのは一九五三年、ぼくが中学生の時だったな。家にテレビはなかったから、近所の街頭テレビまで足を運びました。ほんとに夢中だった……」

「へえ、意外です。先生って勉強ばかりしてきたようなイメージありました」

「たしかに勉強はしましたが、本当のところ勉強はさして好きでもなかったですよ。ただ自分を守るためにやっていたようなもんです」

　子供の頃は小柄で、体もあまり丈夫でなかったのだと先生は言った。父親は戦死し、母が町工場で働いていたが家計は貧しく、級友から苛められないかといつも気を張っていた。自分を強く見せる方法として思いついたのが、本を読み知識を詰め込むことだった。初めは植物や昆虫や動物のことを勉強した。そのうちに、毒草など自然界に存在する猛毒に興味を持った。それがどんどんエスカレートしていき、自然薬も含めて薬品に関しての知識はほぼ頭に収まっていた。そうした知識があると、周りから一目置かれたし尊敬の眼差しを注がれることもあった。

「その頃になるともう恐れられてましたね。月島は得体の知れない奴だって言われて、苛められもしなかったけれど友達もなかった。でもぼくはそれでよかった。得体が知れないということで、等身大の自分より大きく見えることもある。その頃のぼくは、人に見くびられないことがなにより重要だったんですよ」

だから幼なじみと呼べるような存在はいない。考えてみれば不憫（ふびん）な子供時代だな、と先生は苦笑した。

ぬかるんだ小道を歩いていると、ところどころに黒く焦げた墓石が視界に入る。先生にそのことを告げると、それは空襲で焼けたものだと教えてくれた。焦げたものの他に、欠けた墓石もこの寺にはいくつかあるのだと、先生は言った。そして大きなため息を吐くと、左手から右手にカバンを持ち替えた。自分で磨いているのかいつもは艶やかな光沢を帯びている黒い革靴のつま先が、黄土色のぬかるみで汚れている。

「さっき志木さんが、引退はまだ早いというようなことを言ってくれたが、いまのぼくは理不尽なことややりきれないことに対して抗（あらが）う力がない。強く賢くなりたいと必死でもがくような気持ちがないんですよ」

そう言って笑うと、先生は何度か咳（せ）き込み、喉の奥でヒイという音を立てた。

来た道を戻り、墓所の小道を抜けると総門があり、そこをくぐると長い石段の頂上に出た。九十六段重なる石段の頂から眼下の景色を眺めると、鳥の目になる。この場所から見ると絵に描いた軌道のように太陽は左から昇り、右に沈んでいくのだと患者の誰かから聞いたことがある。私はまだ見たことがないが、残念ながら夕刻までにはまだ数時間あった。

「下りるとしようか」

私にというより自分を励ますようにして先生は言うと、石段を下り始めた。しっかりとした足取りだったが、それでも足元を見据えながら、先生は一歩ずつ階段を下っていく。膝が痛むのか、時おり足に手を添えながら歩く。

「あっ、先生。こんにちは」

数メートル下のほうから声が聞こえた。見ると月に一度狭心症の薬を取りに訪れる松岡さんだった。

「お孫さんかな」

かぶっていた黒のソフト帽を片手で持ち上げながら口にすると、先生は松岡さんの手を握る傍らの小さな女の子を見つめた。

「へえ。末娘ので。今年三歳になりましたんです。娘に頼まれて子守りしてるんですわ」

女の子の頭を撫で、松岡さんは笑った。

「名前はなんというのかな」

先生は前屈みになって女の子の視線に合わせ、畏まった口調で訊いた。吊り上がった眉が怖かったのか、その下の目の鋭さに怯えたのか、女の子の顔が泣き出しそうに歪んだので、先生は慌てて近づけていた顔を離す。

「……嫌われたかな」

しょんぼり呟くと、先生はまた無言で石段を下り始めた。さっきよりゆっくりとした足取りで、傍らの手すりに手を置きながらゆっくり。そしてちょうど半分ほど来た辺りで足を止め、

「一分だけ休憩させてくれないか」

と言った。

いつも座ってばかりいるから足が弱るんだなと呟きながら、ふうと大きなため息を吐く。尿酸値も高いから痛風という可能性もあるな。いや歳のせいで関節という関節が軋んでいるのだ、ヒアルロン酸を関節注射すると良くなるかもしれないな。しかし整形は専門外だから自分で射つのは遠慮したい……。

ゆっくり呼吸を整えていればいいのに、先生は休憩をしている間ずっと、独り言のように話し続けた。

「一分、経ったかな?」

手すりに手を添え背筋を伸ばして立っていた先生が、振り返った。私は、先生の肩越しにぼんやりと眼下の景色を眺めていたので時間を計っているわけもなく、慌てて時計を見た。

「待たせてすいません。行こうか」

先生は強い口調で言った。

「もう少し休んだらどうですか？」

私は引き止めたが、先生は再び石段を下り始める。

「あれくらいの小さな子と手を繋ぐというのは、どんな感じなのだろうな」

先生がふと呟いた。「あれくらい」というのが、さっき会った松岡さんの孫だと気づくまでに数秒を要した後、

「さあ……。先生は小児、診ませんもんね」

と答える。

「専門外だよ。小児は苦手だから」

先生は苦笑しながら、痛むのか右膝をつかんで眉間に皺を寄せる。

「松岡さん、好々爺という雰囲気でしたね」

さっきより歩く速度が遅くなったので、その間を埋めるような気持ちで私は言った。あと少し下りれば、女坂と呼ばれるスロープ代わりの緩やかな坂道に迂回できる。

「あの松岡さんの血縁にしちゃえらく可愛かったな」

「孫って可愛いもんみたいですねえ。うちの父親も生前、姉の子供たちをびっくりするくらい可愛がってましたよ。私や姉にとっては無愛想ななにもしてくれない父

親だったのに……」

数年前に他界した父親のことを思い出した。生きていれば先生と同じほどの年齢になる。

「わかるような気はしますね。我が子と孫は違う。老人にとって、孫と過ごす時間は限られている。孫の成長のどこかで、自分は確実にいなくなる。そうした思いが常にどこかにあるんでしょう。だからなお、いとしい。いとしむ時間がいとおしい」

先生が苦しそうに息を弾ませる。石段から女坂に迂回することを促そうと思っていたが、足元と前方を交互に見据えながら手すりを強く握り、張りつめた面持ちでいた。石段を下っていく姿を見ていると、言い出す機会を逸してしまった。見下ろしていた景色がしだいに目の高さに戻り、さっきまで見えていた樹木の天辺はもうはるか頭上に浮かんでいる。

「ずいぶんと待たせましたね」

石段を下りきると、先生は帽子を持ち上げ、シャツの袖で額の汗をぬぐった。

「大丈夫ですか？　呼吸が整うまで休憩しましょうか？」

「いや、いい。歳を取ると辛いことが増えますね。きみは涼しい顔をしている。さあ行きましょうか」

先生は号令のように声をかけると、また歩き始めた。

「先生、歳を取るのは辛いことでしょうか？」

言ってみて恥ずかしくなったが、先生は、

「体の機能に関していえば、辛いことが多いですね」

と生真面目に答え、そしてしばらく考えた後、

「でも心に関していえば二つほどいいところもあります、ぼくにとっては」

と付け足す。

「ひとつは、これから先どのように生きようかという悩みが少なくなるということ。これは単に選択肢が少なくなるからだと思いますがね。もうひとつは大切なものが年々減ってくることによって、大切にするものへの比重が増すということですよ」

患者に病状を説明するのと同じようなよどみのない口調で言うと、先生は自分自身の言葉に頷いた。ずいぶんと少なくなった大切なものの中から診療所が消えてしまうのだとすれば、先生にはあとなにが残っているのだろうと私はふと思ったが、それを訊くことはしなかった。

「志木さんは……うちを退職して……次の働き口を……考えているのかな？」

ひと息吸っては言葉を吐き出すといった、繋ぎ繋ぎの文章で先生が訊いてきた。もうずいぶんな距離を歩いてきたので、息が上がっている。

「まあ……だいたいは」

考えてもいないのに、私はそう返した。

「そうか。突然で悪かったね。きみのことも、水鳥くんのことも、もし必要であれば、ぼくの知り合いの病院なり医院に紹介するつもりだから、言ってください」

穏やかな口調で言うと、先生は静かに息を吐いた。私は「先生こそ、これからどうするつもりなんですか」と訊きたかったが、口にできなかった。先生に家族も懇意にしている人もいないことは、わかっている。

雨上がりの参道に人通りはなく、この辺りでは有名なくず餅屋の店員が、暇そうに店頭に立って澄んだ空を見上げていた。


診療所に戻ると、水鳥さんがまだ残って倉庫の整理をしていた。木曜の午後は休診なので私たち職員は帰ってもいいことになっていて、仕事が残っていれば働くのだが、小さな診療所なので残業などほとんど皆無だった。

「おかえりなさい。雨に降られたでしょう」

製薬会社の営業マンが手土産に持ってくるティッシュの箱を段ボールに詰めながら、水鳥さんが笑顔を見せる。マスクをしているせいで、口は見えないが目は笑っている。

「そうなの。でも昼ごはん食べてるうちに上がったのよ」

「昼ごはん食べたんですか？　先生と？　どこで？」

「ハナムラ」

「うええっ。いいなあ。私なんてコンビニ弁当っすよ。ハナムラだったら近所なんだし私にも声かけてくださいよぉ」

マスクを顎の辺りまでずらし、水鳥さんは大きな声を出した。二階にいる先生にも聞こえるほどの声に、私は苦笑する。

「ずいぶん片づいたね。ひとりでやらせてごめん、ありがとう」

壁に沿って積み上げられた段ボールには「日用品」「取り置き新聞」「○○製薬返却用」などと太い黒ペンで書かれていて、彼女が長い時間作業に熱中していたことが見て取れた。

「ざっとこんなもんですよ。案外楽しいもんですね、引っ越し作業も。いらないものをざかざか捨てるのって、かなり気持ちいい」

水鳥さんが指差す場所には、四十五リットルサイズのゴミ袋が三つ、めいっぱい膨れて置いてあった。辛い引っ越し作業もあるのよ、水鳥さんはまだなにも失ったことがないから……と私は言いかけたがやめた。

診療所を出る頃は、外の気温はよりいっそう高くなっていた。雲の切れ間から差し込む初夏の陽射しが真正面から照りつけてくる。水鳥さんは私より一時間ほど前に出ていった。渋谷まで出て友達と夜ごはんを食べるのだと、入念に化粧を直していった。「渋谷だなんて若いねえ」とからかうと「志木さんもたまには大田区を出てください」と睨まれた。

戸締まりを終え、診療所の前に駐めてある自転車に乗ろうとすると、頭上から名前を呼ばれた。

「お願いします、志木さん」

見上げると、窓から先生が顔を出している。

「帰りにちょっと頼まれごとをしてくれないかな」

部屋着なのかクリーム色の半袖のポロシャツを着た先生は、私が振り向くとすぐに窓から離れたが、直後に重量のあるものが床に落ちる鈍い音が響いた。

「どうしたんですか？」

私は窓に向かって大声を出した。

「ちょっと尻餅をついただけです。それより郵便を出してきてほしいんです、今日中に」

先生は二階の窓から郵便物を落とすから拾ってくれと言う。

「わかりました。帰り道に寄っていきます」

「悪いですね……速達で頼みます。じゃあ、落としますよ」

先生は腕を窓の外まで差し出すと、一枚の茶封筒を私に向かって落とした。封筒はひらひらという感じで舞い降りてきて私の手にたやすく届いた。

「しまった。切手を貼るのを忘れた。郵便番号も記入漏れです」

再び窓から顔を覗かせた先生は、顔をしかめる。私は「切手代、立て替えておきます。郵便番号もあっちで調べて書いときますからっ」と先生を見上げて叫び、自転車を走らせた。先生は何度も「すまない」と繰り返しながら、窓から身を乗り出したまま見送ってくれた。私はいつもより強い力でペダルを踏んだ。


郵便局で無事手紙を出し終えた後、ハローワークに寄ることにした。郵便局から自転車で五分ほどの場所にあるこの施設には、月島診療所に就職する際に一度だけ世話になった。初めて訪れたハローワークですぐに就職口が決まったことは幸運なほうなのだろうが、当時の私は当たり前のように思っていた。四十八歳になって、再びこの門を叩(たた)くことになるとは、想像もしていなかった。二十一年前の寂(さび)れた感じとはうって変わり、施設は白を基調とした近代的な建物に建て替えられ、蛍光灯は室内を清潔に照らしている。カウンターで受付をする女性事務員の愛想もよく、施設の利用方法などを説明してくれた。それでも、どこか生気のない停滞した空気は当時感じたままだった。そこに集まる人間の気がそうさせるのか、自分の偏見なのかはわからないが、長居はしたくない。

私は自分に渡された二十七番のカードを確認してから、「27」と示されたブースに腰をかけ、すぐさま検索に取りかかる。集中して探し、いいのがなければすぐ帰ろう。

しかし画面を開いて五分もたたないうちに隣のブースから聞こえる「ちっ、ちっ」という舌打ちが耳について、検索に集中できなくなってきた。すりガラスになっているので顔は見えないが、足元に目をやると、色の剝げたジーンズに包まれた足が小刻みに揺れている。「ちっちっ」という舌打ちと貧乏ゆすりのリズムで頭がいっぱいになってしまった私は、ブースを変えてもらおうと立ち上がり、目を見張った。

隣のブースにいた男が、かつて一緒に暮らしていた小池誠一だったからだ。

私は慌ててしゃがむと、顔をパソコン画面にくっつくほど近づけた。大丈夫、向こうは気づいていないはずだ。安堵感で全身の硬直が解けるまで、私は静止していた。「ちっちっブルブル」「ちっちっブルブル」というリズムは、よく見れば実に誠一らしい動きだった。食事の時、テレビを見ている時、生活の中でいつもこのリズムが存在し、私を不快にさせた。

三十六歳の年に別れたのだから、十二年ぶりになるだろうか。四つ下の誠一はいま四十四歳になったのだ。齢を重ねたその顔を近くで見てみたいという気持ちもあったが、朝に化粧をしたきりで、いまはほぼ素に近い自分の顔を見られる嫌さのほうが勝り、私は顔を伏せたままパソコンで検索をするふりを続けた。

誠一とは、大学病院に勤めていた時に知り合った。その頃誠一は注射のシリンジやガーゼ、絆創膏(ばんそうこう)といった医療品を病棟の物品棚に補充するアルバイトをしていて、何度か顔を合わせるうちに親しくなっていった。

大学病院を辞めたのは、誠一がいたからだ。とはいえ、私自身も疲労につぶされそうになっていたので背を押されただけなのだろうが、誠一との出会いがそれまでの私の生活を変えた。

「金融関係の仕事に就くつもりやねん。自分に合ったとこ見つかるまで、妥協はせえへん」

というのが誠一の口癖だった。関西の大学を卒業して、就職で東京に出てきたのだが、自分に合わず辞めた。それからはアルバイトをしながら自活し、自分を高め磨いている。自らが向上すれば、それにふさわしい職場がついてくるから。誠一はそんなふうな言葉を口にし続けながら、私と暮らしていた十数年間一度も、定職に就かなかった。生活のためのアルバイトも嫌なことがあるとすぐに辞め、家でパソコンの金融ゲームに熱中していた。一緒に暮らし始めて二か月で、誠一のだらしなさに気づいた。半年経って口先だけで行動の伴わない人なのかもしれないと思い始め、一年住んだら、彼がどうしようもない類の男であることを確信した。

　後は惰性の数年間だった。自分がこんなつまらない男に引っかかるとは思ってもみず、情けなさで涙が出たこともあったが、離れることはできなかった。自分を過大評価することは得意だけれど中身はなにもない、忍耐も労苦も嫌いでそのくせ贅沢を好む、本当に最低の男だったけれども、それでも、あの頃の私自身に比べたら彼はまだどこか可能性が残っているように見えたのだ。

　紙袋を踏みつけたような大きな音が隣から聞こえてきた。誠一が立ち上がり、椅子を蹴って立ち去っていく。キャスターの付いた椅子が横滑りして流れていくのを横目で見ながら私もひっそりと、だが素早く立ち上がった。誠一の後をつけるつもりだった。まだ職探しを続けていることはわかったが、いまどんなところに住んでいるのか見てやりたいという気持ちが湧く。

　誠一と暮らしている時、私が生活を支えてやらなければこの人は生きていられないだろうと思っていた。別れの日、彼もそう言って泣いてすがった。だが別れてからも、彼は生きている。目の前にある世界を横柄に見下し、のんべんだらりといった感じは、以前となにも変わってはいない。

　誠一が自転車置き場のほうに回るのを確認した後、私も急いで自分の自転車を駐めておいた場所に回った。彼が徒歩ではなく自転車で来ていたことは幸運かもしれない。自転車だと運転に気を取られて私が尾行していることも気づきにくいに違いない。震える手つきで開錠し、足の甲でスタンドを蹴り上げながら、私は自分の胸がいつになく高鳴っていることに気づく。

彼の数メートル後ろにぴったりとつきながら、静かに自転車を漕ぐ。誠一の運転する自転車はいわゆる女もののママチャリといわれる類のもので、どうせどこかから盗んできたに違いない、塗料の剝がれたみすぼらしいものだった。後輪を覆うようについている泥除けカバーが外れかけていて、自転車の動きに合わせてぶらぶら揺れる様子が尻尾に見えた。

「ジガバチという蜂を知ってるかね」

かつて一度だけ、誠一と月島先生は顔を合わせたことがあり、その際に先生が言った言葉を思い出す。

それまで先生に誠一の話をしたことなどなかったけれど、診療時間を気にせず医院に電話をしてくる彼の存在は、先生も知るところだった。電話をかけてくるといっても緊急の用事があるわけでもなく、ただ思いつきでかけてくる。「帰りに雑誌買ってきてくれ」「今日の晩飯は肉食いたい」というような内容だ。電話だけではなく、突然診療所に現れることもあり、「就職活動してくるから、金貸してくれない？」と言ってくることもあった。水鳥さんの前任の医療事務は私より年上の女性で、その人には誠一とのことを相談していた。彼女は誠一をひどく嫌っていて、「いいかげん目を覚ましなさい」と忠告したが、当時の私はどうすれば彼と別れられるのかわからなかった。彼を好きだという気持ちは疲労や嫌悪という感情に埋もれ消えてはいたが、生活の一部になっていた誠一を切り取る術がなかったのだ。いまから思えば、誠一とのことを見かねた医療事務の彼女が、先生に相談していたのかもしれない。

「ジガバチという蜂を知ってるかね」

先生は初対面の誠一に向かって、ゆっくりと押し出すように言った。台風による大雨の日で、待合室に患者はひとりもなく、昼間なのに夕方の暗さが、室内に満ちていた。この日誠一はタクシーに乗って診療所を訪れ、心療内科に行くから金を出してくれと言ってきた。心療内科に行くことは私が以前から勧めていたので、金を渡そうとした時に、診察室の扉が開いて先生が出てきたのだ。

「ジガバチ？」

誠一は突然現れた先生の顔を、眉をひそめ怪訝そうに見つめ返した。

「ジガバチは、蜂の一種でね、大きさは二センチ前後の小さな昆虫だ」

先生はそう言うと、呆然と突っ立ったままの誠一の顔を凝視した。

「ジガバチの成虫は、花の蜜を餌にしているんだが幼虫は肉食でね、蝶や蛾の幼虫を餌にするんだ」

「なんですか、それ。ぼく急いでるんですよ」

しばらくは驚愕して黙り込んでいた誠一だったが、静かだが威圧的な先生の口調に反発を覚えたのか、後ずさりしながら口を歪ませた。しかし先生は誠一の退散を許さず半歩前に出て間合いを詰め、

「あと一分だ、聞きなさい」

と言った。

「それでジガバチの成虫は、我が子のために蝶や蛾の幼虫を狩ってきては穴を掘って我が子と一緒に閉じ込めるんだ。そしてジガバチの幼虫は土の中で傍らの餌を食べながら成長し、やがて成虫となって穴から出てくる。そういった昆虫なんだがね、ひとつこの蜂ならではの特徴があるんだ。それはジガバチが麻酔の役割をする毒を持っているということだ。つまり、我が子のために餌は殺さず新鮮なまま、だが幼い我が子が食らうことのできる無抵抗の状態で保たせるために、餌の幼虫に毒を刺すんだよ。麻痺させて動けなくするんだ。きみのことはさほど知らないが、きみはまるでジガバチのような男だと、ぼくは思うがね。きみの毒は志木さんを麻痺させているようだけれど、いったいなにを育てるつもりなんだ?」

先生はひと息に言うと、威嚇するように咳払いをした。緊張した室内の空気が私

の耳を痛くした。

「なに言うとんねん、この人。なあ。頭おかしいんやないか？」

誠一は目を剥（む）いて私を睨み、吐き捨てた。先生は表情を変えず、誠一をじっと見据えていた。彼の本質を知ろうとするような視線だった。

麻痺、していたのか。自分自身のことがわからなくなって、後ろにも前にも動けなかったのは、麻痺していたからかと私は思った。そして麻痺させたのは、誠一の持つ毒。誠一には理解できなくても、私には先生が言おうとすることの意味がわかった。

そんなやりとりがあった数日後、誠一が私に一枚の紙切れを渡した。

「まあ読んでみろや」

唇を歪めて言う誠一は、それまでの不機嫌な様子とはうって変わり、愉快そうに鼻で笑った。私は手渡された小さな紙に目をやった。紙は何年も前の新聞記事をコピーしたものだった。手のひらほどの紙には「J大学医師、業者から数百万円詐取容疑」という見出しがあり、先生の氏名が月島英雄（ひでお）容疑者として書かれていた。

「病棟の新築工事の発注をめぐる事件や。発注を請け負わせるからって、業者からごっつい金受け取りよったんや」

誠一は吸っていた煙草（たばこ）の煙を天井に向かって勢いよく吐いた。

記事の中では、月島容疑者が「工事に参入するには金を用意する必要がある」と業者に持ちかけたと書いてあった。

「あのおっさん、おれにはあんな偉そうな口ききよるけど、後ろ暗い過去があるんや。わかったか。おまえもよく見極めることやな」

勝ち誇ったように口端を歪めると、誠一は、

「そのコピーやるわ。診療所の待合にでも貼っとけ」

と荒い口調で言った。

「見極めるってなに？」

私は指先が冷たくなるのを感じながら誠一に訊いた。

「おれとあのおっさん、どっちを信じるかということや。おまえは狭い世界でしか生きてきてへんから、わからへんのや。あのおっさんの言葉を鵜呑みにしてるんちゃうかと思ってな」

誠一は甘い鼻声でそう言うと、私の肩を抱き寄せようとした。吐く息が臭くて、私は彼の体を押し戻した。すると誠一は「ちっ」と舌打ちをして、隣の部屋に移りいつものようにパソコンの画面に向かった。時おり大きな声でCMソングを歌ったり、歓声を上げたりする誠一を見ていると怒りで吐き気がした。人の弱みを指摘してはしゃぐ姿が醜悪に思えた。見極める？　他人なのだから、過去になにをしてき

たかなんてわからない。私が知るのは、自分と同じ時間を過ごしてきたその人の在り方しかない。私の前で先生はいつも、真面目でひたむきで質素だった。見極める必要もない、そう考えられる自分がまだ残っていたことに救われる思いだった。その後間もなく私は誠一と別れ、それから今日まで電話で声を聞いたことすらない。

　いつか大きなことをやってのけそうな、自分をどこかへ連れていってくれそうな、そんなふうに思っていた誠一の背中が、十二年の歳月を経て目の前で揺れている。ペダルを踏む足の動きに合わせて自転車が左右に揺れ、丸まった痩せた背中が動く。この人はやはりなにも変わってはいない、と思う。世の中を舐めたような、懸命に地道に生きることを放棄したような雰囲気は以前より濃く臭うほどにまとわりついていた。

　尾行する私の存在に気づくことなく、一度たりとも振り返ることなどなく、誠一は古びた二階建てのアパートの前で自転車を降りた。「おまえと別れたら行くあてもない。外国を放浪しようか」などと言って泣いたくせに、こんな近所で暮らしていたなんてと思うと、呆れた笑みが浮かぶ。

　ズボンのポケットに手を入れ、鍵を探しているのかしばらくまさぐった後、誠一は面倒くさそうに玄関のドアを叩いた。すると、ドアが開き中から女が顔を出した。浅黒い肌に赤みがかった茶色の髪。ひょっとすると私より年上かもしれないその女は、誠一と目を合わせると甘ったるい笑顔でなにか言葉をかけていたが、なんと言ったのかは聞こえなかった。

二人が部屋の中に入ってしまうと、私は自転車を道路のわきに駐めて、アパートの階段を上がった。音がしないように上っていく。そして誠一が入っていった部屋のドアまで近づくと、表札の名前を確認した。表札には誠一のではない名字が太ペンで書かれている。かつての私の役目をいまはあの女がやっているのだろうかと思うと、無性に部屋の中を覗き見したくなった。「ごはん食べる?」と母親が子供に訊ねるような女の声と換気扇が回る音がドア越しに聞こえ、魚を焼く匂いがしてくる。芳(こう)ばしい匂いを嗅いでとたんに冷静になった私は、慌ててドアの前から立ち去り、上ってきた階段を走りながら下りた。上る時はしなかった、靴底が鉄の階段を打つカンカンという甲高い音が、頭に響いた。

駐めていた自転車にまたがると、私は慌てて発進した。誠一に見つかったらどうしようという考えが急に膨らみ、背中を冷たくした。それなのにすぐにその場から立ち去ることはせず、今度はアパートの裏側に回り、彼らの部屋を眺めてみたい衝動に駆られる。

裏側から見ると、誠一たちの部屋のベランダが丸見えだった。つぶされ平面になった段ボールが無造作に積まれ、空き缶が転がっている。雑然とした空間に、誠一と女のものらしい洗濯物が干してあった。

それだけを見届けると、私はようやくその場を離れる気になった。緩慢な動きでサドルにまたがると、ジジッというチェーンの回る音を聞きながら自転車を走らせた。傷つくというほどでもないが、誠一を見かける前に比べて、気分が塞いでいる。うだつの上がらない誠一を十数年ぶりに目にして「別れてよかった」と嬉しくなるのではと思ったが、逆だった。誠一に未練があるというのではない。誠一といた時間の長さと虚しさが迫ってきて、つまらない男だったと思えば思うほど取り返しのつかない時間を思い、自分自身をつまらない女だと思う気持ちが強くなる。

自転車で適当に走っていると、しだいに知らない道に入ってしまい、私は自分が迷っていることに気がついた。といってもそう遠くまで来たわけではない。とにかく大通りまで出れば、だいたいの位置は把握できるだろう。自転車を漕ぐほどに早く家に帰りたくなり、疲労感が増す。

ようやく大通りまで出ると、見たことのある景色があり、記憶に任せて進んでいくと、月島診療所の看板が目に入った。

ここから、いつもの道順で家まで帰ればいい。

当たり前だが診療所の電気は消えていて、二階の先生の部屋の電気だけが点いていた。私は背伸びをして、窓の中の気配を探る。先生がいま窓を開けて私に気づいてくれないだろうか。そして声をかけてはくれないだろうか。なんでもいいから、薬品の注文のことでもいいから話がしたかった。だが窓は開かず、もちろん先生が出てくることもない。

「明日は思うほど悪い日じゃない」

先生が患者に言う口癖を、真似てみると、自転車で家まで帰るくらいの力は出た。自分の感情をコントロールするくらいの術は、いつしか身につけている。四十半ばを過ぎたこの頃は、良くも悪くも感情的な気持ちは長く続かないのだ。感情的に考えても物ごとが良い方向に進むことなんてない。良く言えば冷静に、悪く言えば諦めが早くなった。

先生がいるだろう二階の窓を見つめた後、自転車を反転させようとしたその時、

「志木さん」

と後ろから声をかけられた。

「なにしてるんだい？　忘れ物かなにかかな？」

振り向くと片手に買い物袋を提げた先生が、眉間に皺を寄せて立っていた。私は驚きで一瞬体が縮むような気持ちになったが、取り繕った顔でかろうじて挨拶をした。頬が引きつっているのがわかる。

「なにかあって戻ってきたのかい？」

先生は質問を重ねたが、私は「いえいえ」と手のひらを左右に振り否定し、

「ちょっとそこで用事があったものですから」

と声を上ずらせる。

「もう帰ります」

さっきまで話がしたいと思っていたのに、目の前に先生が現れると一刻も早くこの緊張から解き放たれたいと願う。

「ではまた明日」

目礼すると、私は自転車のスタンドを蹴った。

「ちょっと志木さん」

先生は立ち去ろうとする私を呼び止め、手招きした。

「これよかったら食べなさい。このまま蓋開けて食べたらよろしい。郵便を出してもらった礼ですよ」

手に提げた布袋の中からカニ缶を取り出すと、先生は自転車の籠に入れた。先生の持つ袋の中身はすべてカニ缶のようで、私に四缶くれてもまだ、布袋はずしりと重そうだった。

「スーパーに行ってたんです。最近はあれだな、ビニール袋には入れてくれないんだな。だからぼくもエコバッグというやつを使ってるんですよ」

照れた表情で提げていた布袋を目の高さまで上げると、「いいことだな」と真顔で呟いた。そして、

「志木さん、いろいろ迷惑をかけますがあと少し、頑張ってください」

と先生は畏まった様子で言った。あ、いえいえ……と口ごもりながら私も頭を下げると、布袋からカニ缶の金色と朱色が見えた。

その夜、私は夢を見た。テーブルに向かい合った誠一と、ごはんを食べている夢だった。誠一の青白い肌は滑らかで、私もいまよりはずっと若かった。そのうち、夢の中で誠一は先生に変わった。なぜか白衣を着た先生が、神経質そうに箸を動かしている。食卓には缶切りでギザギザに切られ、蓋の開いたカニ缶が並べてある。私と先生は無言でカニ身を食べ始めた。夢の中の私は先生に「このカニ缶って一個五千円とかするんですよね」と話しかけていて、目が覚めてからも自分の台詞（せりふ）が耳に残っていた。

翌週の月曜日、先生は診療時間の九時になっても職場に現れなかった。区が実施している健診を受けるために待合室にはすでに患者が待っていたので、私は水鳥さんに、先生に電話をかけるよう頼んだ。

「だめです、志木さん。先生出ない。携帯にもかけてみたけど……」

受話器を耳に当てたまま、水鳥さんが困った顔をして首を振り、「なんかあったんですかね」と私が思っていることを、口にした。

二人で相談し、九時半まで待つことにして、健診を受けに来た患者には先に尿検査と採血、心電図検査を受けてもらうことにした。問診とレントゲン撮影は先生が来てからしかできない。

しかし九時半になっても先生は現れず、水鳥さんはしだいに怒り始めた。

「もうっ。電話くらい出ろっつうの。志木さん、上見てきてくださいよ」

「でも……プライバシーが……」

「そんなこと言ってる場合じゃないかもしれないですよ。まさかっていうこともあるし。先生も歳だし」

水鳥さんの言葉に押されて、私は二階に続く階段の前に立った。個人宅にしては長い階段だったので上のほうは暗く、上ろうとしているのに地下へ潜っていくような錯覚に陥った。

「先生、失礼します」

階下で一度そう大きな声で叫んだ後、私は一段一段踏みしめるようにして階段を上がった。木製の階段は踏むたびにぎっぎっと鳴り、半ばまで上った辺りから古家独特の甘い埃(ほこり)のにおいがしてきた。先生がこの二階に越してくる前、倉庫にしていた頃のにおい。懐かしい感じがした。

「先生、いますか？」

散らかった室内を想像していたのに、拍子抜けするくらい部屋は整然としていた。診療所を閉めた後の先生の行き先は聞いていないが、おそらくこの場所に住み続けることはないだろう。室内には段ボールがいくつも積み上げられ、退去する日を計算して荷造りがされている。部屋のあらかたのものは梱包され、残っているのは毎日使う日用品ばかりだった。日用品は、先生がひっそりと慎ましく暮らしてきたことを強調するように、きちんと並んでいる。整理された机の上に筆立てがあり、その中の一本の赤鉛筆の軸に、結婚指輪が引っかけてあった。

先生の部屋の電話が鳴ったので受話器を上げると、水鳥さんの声が聞こえた。

「先生いた？」

「いない」

「いないって……。どうすんですか？」

たった二部屋しかない室内で、先生の不在を確認するのは簡単だった。何ごとにもきちんとした先生のことだから、この不在は先生の意志だろうと思った。ついうっかりといった類のものではないだろう。嫌な予感が頭をよぎる。この診療所を閉めてしまったら、先生も終わりになるんじゃないだろうかという予感。あの強い人に限ってと悪い想像を打ち消す自分がいる反面、もしかしたらと思っている自分がいた。まだ大学病院の病棟で働いていた頃の記憶が蘇る。パジャマのまま屋上から飛び降りた乳がんの中年女性も、前日は笑顔で話していた。自らの血管に致死量の麻薬を注射した麻酔科の医師も、それまで不眠不休で精力的に仕事をこなし、私には強い人に見えていた。強く見える人ほど苦しみは外に出ていかず溜まっていくのだということを、私は思い出す。

「先生、いなかった」

階段を下り受付に戻ると、水鳥さんが表情を強張らせながらパソコンの画面を見つめていた。

「夜逃げ、ですか」

「冗談やめてよ。なにから逃げるのよ、先生が」

言いながら、指先が震えてくる。

「患者さん、どうしましょうか」

待合室に並ぶ患者さんに視線を走らせると、水鳥さんがろうそくを吹き消すような長いため息を吐いた。

水鳥さんが患者たちに突然の休診を詫び、玄関に「休診日」の札を掛けた直後、先生に代理を頼まれたという若い医師が現れた。まだ二十代に見える医師は遅刻の謝罪をした後で、診療所の場所がわかりにくく迷ったことを呟いた。

「いや、昨夜遅くに突然言われたんですよ。ぼくの父が昔、月島先生にお世話になったそうでどうしても来てくれって。とにかく閉院までの二週間、患者に迷惑をかけるわけにはいかないからって」

詳しい事情を知ろうとする私たちに向かって彼は説明した。彼自身も詳しいことは聞いていないらしいが父親に強く頼まれ、自分が役に立てることは少ないだろうが二週間だけならと駆けつけたのだと屈託なく笑う。

「で、先生はいまどこに?」

私は訊いた。

「離島……らしいですよ。なんとかという島。知り合いが倒れたかなんかでその島に向かったって聞いてますけど」

なんとかじゃわからないって、と水鳥さんは呟きながら、若い医師のために白衣を取りに行った。


診察がひとまず落ち着いたところで、私は飛び込むようにして二階へ上がった。先生の部屋を見回し、机の上や本棚、ベッドサイドの小さな棚など目につく場所を片っ端から探った。いつの間にか水鳥さんが部屋の入り口に立っていて、

「なにしてるんですか？」

と私の剣幕に首を傾げた。

「先生の居場所、どこか心当たりない？　手がかりになるもの探してるのよ」

外国の絵本に描かれていそうな木製の立派な机の引き出しはどこもみな空になっていて、力を込めて開けるとあまりに軽くてすっぽりと抜けた。

「先生、帰らないって言ったわけじゃないんですから……。無事も確認されたことだし、待ってみたらどうですか？」

「でも帰ってくるとも言ってないのよ」

歳を取ると押入れの荷物が減ってくるものだな。もう使わないからと捨てていくと、どんどん荷物がなくなっていく。どうやら押入れの荷物の量と人生の残り量は比例しているらしいな……。以前、大型ゴミを二階から運び出すのを手伝った時に、先生が話していたことを思い出す。いま二部屋のそれぞれにある先生の押入れはどちらも空っぽになっている。扉や引き出し、私は開けられるものは片っ端から開けていった。

「なんかドラマみたいですね」

水鳥さんが言う。

「なにが？」

「志木さんが、ですよ。そんなに慌てなくても……子供じゃないんだから、先生」

「でもどこへ行ったかわからないんじゃ、放っておけないでしょっ」

自分でも驚くくらい強い口調だった。怒鳴られた水鳥さんがびっくりして目を見開く。

「あっ……ごめん」

「いえ……。そうですよね。なにか手がかり、探さないと……」

水鳥さんはそう呟くと踵(きびす)を返して階段を下りていった。私は手を止めて彼女のほうを振り返る。階段を踏む小さな足音が遠ざかっていく。彼女を驚かせたかもしれないと思うと、気持ちが沈んだ。

しばらくして、階下から水鳥さんの明るい声が聞こえてきた。

「志木さん。情報ゲットっすよ」

ひと通り室内を捜索して、なにも手がかりが得られず、床に正座して次にすべきことを考えていた時だった。水鳥さんが嬉しそうに、手がかりがありましたよと声を張った。

「二日前、先生を羽田まで乗せたって。個人タクシーの三田(みた)さんに聞きました」

膝が悪くて長時間立っていられない先生は、どこへ行くのもたいていタクシーを使う。行き場所が遠方であれば、たとえば新幹線や飛行機に乗る必要がある場合は、駅や空港まで気心の知れたタクシー運転手を呼ぶのだ。

「さすが水鳥さん」

「まあね。行き先も先生、三田さんに話してたらしいですよ」

「どこ？」

「瀬戸内海の島だって」

私は顔をしかめて水鳥さんを見つめた。

「島の名前は？」

「そこは三田さん。そこまでしか憶えてなかったんだよねえ。あの人もけっこう呆(ぼ)けちゃってるから。瀬戸内海の島って言われても、そんなのいくつもあるっての」

私は三田さんの車体に律儀に貼られたもみじマークを思い出しながら、頷く。

「でもすごい手がかりだね。わかった……気がする。先生の行き先」

私は何日か前に先生に頼まれて出した郵便物のことを思い出し、水鳥さんに郵便番号簿を出してくれと頼む。あの日も記載漏れの郵便番号を書き込むために郵便局で郵便番号簿を広げたのだ。香川県の欄にあった地名は、漢字の連なりがややこしくてなんと読むのかわからなかったが、字形は憶えている。へえ先生、こんなところに知り合いなんているんだ……と思いながら出した速達。あの封筒にあった場所に先生は旅立ったのだと私は思った。

取るものもとりあえずとは、こういうことを言うのだろう。十二時ジャストに飛び乗った飛行機の窓から東京湾が小さくなっていくのを見下ろしながら、私は大きく深呼吸した。飛行機に乗るのは何年ぶりだろうか。看護学校を卒業した春に友人たちとサイパンに卒業旅行に行った以来だから、二十五年以上経っている。新幹線だと時間がかかるからと、水鳥さんがパソコンで飛行機の時間を調べてくれた。記憶にあった封筒の住所は「仲多度郡」、ナカタドグンと読むらしく、島の情報については水鳥さんがインターネットで資料を出してくれたが、まだ目を通せていない。

「ほんとに行くんですか？」

半分呆れたように、でも笑いながら水鳥さんが訊いてくる。

「うん、とりあえず。ごめんね、診療中に」

「大丈夫ですよ、代理の先生も来てくれたし。先生連れ戻しに行くんですね」

なにが楽しいのか含み笑いしたまま、水鳥さんは自分のカバンから大きめのポーチを取り出し、私に手渡した。それは水鳥さんが常に携帯している「お泊まりセット」らしく、中には化粧品、下着、歯ブラシといった突然の宿泊でも困らないくらい十分なものが入っていた。いつもこんなものを持ち歩いているのかと感心して訊くと、女の常識だと言われた。

「この時間だと、多度津港発の最終フェリーにぎりぎり間に合うかってとこですよ。野宿するかもですね」

「しないわよ、そんな」

「これで志木さんと先生の歳が、せめてあと二十ずつ若かったら発展あるかも、ですけどねえ」

いつも職場で助けてくれた水鳥さんと、こうして軽口を叩き合うのもあと少しかと思うとやっぱり寂しい。

「先生を連れて帰ってくるの、待ってますね」

水鳥さんが言った。

高松空港に着くと、東京にはない明度とゆったりとした時間の流れを感じた。水鳥さんからもらった資料を手に、私は高松空港からバスに乗り、JR高松駅に向かった。高松駅から多度津駅までは特急電車で三十分ほどかかり、多度津駅から島までは船に乗らなくてはいけない。

初夏の陽射しは明るく、電車の窓から見える海の青さのおかげで暗い気持ちにならなくてすんだ。私が突然訪ねていったら、先生はどんな顔をするだろうと考えると、頬の辺りが緊張する。だがそのすぐ後で先生が島のどこにいるのか、果たして本当にその島にいるのかを考えるとうきうきした気持ちが失せる。

特急電車が多度津駅に着くと、駅前のコンビニでペットボトルのお茶を買った。レジで精算している最中になぜかレジ横に置かれていたビーチサンダルが目につき、その中から黄色いサンダルを衝動的に手に取る。

港に着くと、十六時二十分という最終便の出発までまだ少し時間があった。船留めの石に年配の男がひとり座り、煙草をふかしていたが、それ以外に人の姿はない。

私は切符を買った後、桟橋に置かれていたプラスチックのベンチに腰かけながら、手提げカバンの中に入れておいた封筒を取り出した。移動の途中で折れたりしないように、水鳥さんがクリアファイルに挟んでくれている。B5サイズのその茶封筒は先生宛に届いた郵便物の中に紛れていた。先生には毎日十通近い郵便物が届くので、この不在中にずいぶんの封書が溜まっていた。その中に、変哲のない茶封筒があった。茶封筒の裏に書かれた差出人の名前は、篠沢博一……先生のひとり息子だ。

乗船時刻になると、どこからか人が集まってきた。旅行者らしい二人組の若い女、作業服姿の男たち、五歳くらいの小さな女の子を連れた私と同じくらいの歳の男……みなおそらく目的はばらばらだろうが、同じフェリーに乗り込んでいく。

船が走り始めると、海も大きく動いた。甲板から眺める海は、陸地から眺めるのに比べて大きく深い。低い位置にある太陽の陽射しが、海面を照らしていた。船が沖に進むにつれ、遠くから見ると色の濃いひと筋の帯のように見えていた水域が、島々の影であることがわかった。

出航して三十分ほど経った頃だろうか、船内アナウンスで間もなく島に到着すると告げられ、荷物を持って甲板に出る。船が島に近づいていく景色を見たかったからで、甲板に立つと風で体を持っていかれそうになった。

フェリーが島に到着し、他の乗客が下りるのを待ってから、私は列の最後尾についた。私以外の人はみんな、目指す場所があって船を下りて歩いていくのだろう。みんなの足取りが自分のに比べて力強く感じ、ここまで保っていた強気がふと萎む。もし先生がいなかったら、今日は本当にひとりで野宿かもしれない。次に多度津港へ戻るフェリーは明日の朝八時三十分だと聞いている。先生がこの島にいようがまいが、私はここでひと晩過ごさなくてはいけないのだ。

船から下りた人々はいつの間にか散ってしまい、気がつくと二、三人が残っているだけだった。さてどうしよう、私は思った。同じ船に乗り込んだ人たちが遠ざかっていくのを見送りながら、私は空を見上げる。空の高さが、遠く見知らぬ場所へ来た不安と昂揚感を煽る。

「観光ですか」

リュックを背負った若い男に声をかけられた。

「もしいまから盛田屋に行かれるのであれば、ご一緒にどうですか」

観光客らしい男は言った。二十歳を過ぎたくらいだろうか。つるりとした白い肌が、都会の青年らしきものを感じさせる。

「盛田屋？」

「島で唯一の宿泊施設ですよ。どこかお知り合いのところに泊まるんですか」

先生が盛田屋にいるとは思えないが、宿泊施設はそこしかないというので、私はとりあえずその男性についていくことにした。空き部屋があるとしたら野宿は避けられそうだ。

「じゃ、行きましょうか」

「よろしくお願いします」

港を出て少し歩くと、道案内の表示が出ていて、青年は「浦地区」と書かれたほうに歩いていく。ここが島の中心地になるのだろうか。町役場や郵便局などの施設が集まっていた。でもやはり人の姿はなく、辺りはひっそり静まっている。

こんなふうに先生を探しに出る日が来ることを、私は予感していた。というより先生がいつかふといなくなってしまうという予感があった。なぜだかわからないが、そう思っていた。先生はいつかぱたりと仕事をしなくなるんじゃないだろうか。突然消えてしまうんじゃないだろうか。歳を経るごとに薄れていく先生の輪郭と、私の輪郭を、いつしか重ね合わせながら私は先生がいなくなる日を予感していた。

「着きましたよ」

青年が肩を叩いた。

「船酔いしましたか？　顔色が悪いですけど」

「大丈夫です。ご親切にありがとうございます」

青年は慣れた感じで民宿に入っていくと、玄関口で振り返り、「部屋、空いてるみたいですよ」と言ってきた。今夜の宿のことまで考えていなかったので、「お願いします」と即座に返事をする。本来なら事前に予約をしておかなくてはいけないそうだが、青年が毎夏の常連客だということで特別に宿泊させてもらえるということだった。

盛田屋は白い外壁が特徴の立派な民家で、昭和六十年からこの場所で民宿を営んでいるという。冬の期間はオーナーが漁に出ていて休業となり、営業期間は四月から十一月の末まで。海水浴中は予約でいっぱいなのだが、六月の平日なのでまだ余裕があるらしいと青年が教えてくれる。

宿に荷物を置き、浜辺まで歩いた。多度津駅前のコンビニで買ったビーチサンダルに履き替えると、子供時代に戻ったようなこそばゆさが全身を駆けめぐる。歩くたびにぺたぺたと暢気な音がするのも心地よい。

頭上を樹木の葉で覆われ影になった坂を下っていくと、浜辺はすぐ目の前にあった。誰もいない砂浜の向こうには透き通る水色の海。

「うわ……」

私は思わず声を出した。東京にいる水鳥さんにメールで写真を送ってあげようと、携帯電話を取り出しカメラ設定にした。しかし画面サイズに切り取られた海は、どう角度を変えて光を取り込んでも、目の前の姿を写し出しきることはできず、私は何度か写真を撮ったが、結局送信するのをやめた。

海を見ている間は、この世に不幸せなことなどないような気がした。よどんだ思いも寂しさもすべて呑み込むほどの大きさがあった。夏場なら観光客でにぎわっているだろう砂浜も、いまは私しかいない。波の音しかないこの場所に座っていると、自分という形がなくなり、心だけで生きているような錯覚に陥る。人が自然を求めるのは、形になる前の自分、無意識の自分を引き出してくれるからかもしれないと思った。

いまから三十年前――まだ「看護師」が「看護婦」と呼ばれていた時代、高校を卒業した春に准看護婦の資格を取るための学校に通った。昼間は学校に行き、夜は指定の病院で看護助手の仕事をするという生活を三年間送った。特にこの職業に憧れていたわけではなかったけれど、他にやりたいことも特技もないので、その場所にいるしかなかった。外から見ているのとは違い、先輩の看護婦たちは意地が悪く辛いことも多かったが、三年の辛抱だと思い、耐えた。風邪をひいた冬の夜、あまりに寒いのでストッキングの上に靴下を履いて仕事をしていたら、先輩に脱げと言われたこともある。規則だからと。風邪をひいて熱もあるからとささやかな口答えをしたら、その日から他の看護婦たちにも苛められるようになった。

免許が取れれば嫌な思いをすることも減るだろうとなんとか試験に合格したが、働き始めると今度は正看護婦の免許を持った看護婦たちにきつく当たられた。それでさらに二年間、正看護婦の免許を得るための学校に通った。これで誰に苛められることもないだろうと安心していたら、日々の仕事量に押しつぶされるようになっていた。気がつくとアパートの玄関で化粧も落とさず寝込んでいるような日常が続くうちに、自分もまた疲れた顔で後輩に嫌味を言うような看護婦になっていた。抜け出さなくてはと焦(あせ)りながらそれができず、嫌な笑い方を頬に貼りつけた。

そんな息をするのも苦しいような毎日の中で誠一に出会った。誠一はろくでもない男だったかもしれないが、それでも私に当時の場所から抜け出すきっかけをくれた。彼に出会わなければ、私はヤニのような黒い悪口を、いまもまだ同僚たちと吐き続けていたかもしれない。

「お願いします、志木さん」

と呼ぶ月島先生の穏やかな声を思い出す。私はこの二十一年間そうやって、呼ばれてきた。診療所に、先生に必要とされていた二十一年間、私は幸せだったなと思う。

波の音が鼓動の力強さで胸に響く。先生を探さなくては、と胸の奥が熱くなった。

十人も座ればいっぱいになる宿の食堂で、夕食を食べた。宿泊客は私の他に港から一緒だった青年と、二人組の若い女の子だけらしく、静かな食卓となった。食堂の奥に調理場があり、「お母さん」と呼ばれている女性がひとりで料理を作り、それを自らテーブルに運んだ。「お母さん」と呼ばれている女性がひとりでこの宿をきりもりしている。「忙しい時は主人も手伝ってくれるんじゃけど、今日はお客さん少ないもんで」と日に焼けた顔を愛想で崩しながらお母さんは言った。舌平目の塩焼きに、タイと車エビの刺身といった夕食の魚料理は目を見張るほどの豪華さで、郷土料理の茶粥は初めて食べる珍しい一品だった。自分の中の熱を冷まそうと瓶ビールを一本注文し渇いた喉に流し込むと、体の力が抜けていくのがわかった。

「大丈夫？　具合でも悪いの？」

しばらく目を閉じて頭の中がぐるぐる回る気持ち悪さに耐えていると、心配そうな女の声が近くに聞こえた。首にタオルを掛けたお母さんが眉をひそめてこちらを見ている。

「あ……すいません」

「具合悪いんだったら無理せんようにね。明日は診療のある日じゃから、医者にも診てもらえるし」

「診療所があるんですか？」

「ほうよ。毎日じゃないけど、診察してもらえるんよ。ずいぶん年寄りの医者だけど腕はいいから」

ああそうか、いまは代わりの医者が来てるんだったなと、お母さんは付け足した。

「代理の先生ですか？」

「そう。四、五日前だったか、先生倒れたそうで、その代わり」

途中だった洗い物を再び始めながらお母さんが教えてくれる。私は窓の外に目をやるふりをして、荒くなっていく呼吸を必死で抑えた。顔が熱くなり、心臓が鳴る。

先生だ。先生はやっぱりこの島に来ている。

その代わりの医者というのは月島先生に違いないと確信する。

「どうしたんじゃ、やっぱりどっか悪いの？」

「いえ、そうじゃないんです……。あの、診療所の場所を教えてもらえませんか」

「ええけど……急病でないなら明日にしたほうがいいわ。いま行っても閉まっとるじゃろうからね。明日は朝九時に開くから」

お母さんはのんびりした口調で言うと、手際よく片づけを続けた。食べ終えた食器をカウンターまで運ぶと、散歩をしてくると告げ外に出た。外灯はないが夕焼けが道を照らし、波の音を頼りに海まで歩いた。

夕暮れの海なんて久しぶりに見る。ひとり旅をするのも初めてだった。打ち寄せる波を見ながら、人生も半分を生きたというのに初めてのことがまだたくさん残っているなと思った。

ただ立っていると無性に心細くなってきたので、浜辺を歩いた。海は昼間の青とは違い、暮れなずむ景色に溶け込み哀(かな)しげでもあったが、明るいだけのそれよりむしろ近しい感じがした。このまま私をその強大な懐に包み隠してくれるような。

ビーチサンダルを手に持って素足で歩くと足裏に砂が冷たく刺さる。こんな薄闇の中でなら、波の音を聞きながら一日の終わりを迎えるいまならば、誰かの前でも自分らしくいられるような気がした。

翌朝、朝九時を待たずに、民宿で借りた地図を片手に診療所へ向かった。出がけに、今日も泊まれるよとお母さんに声をかけてもらったが、今日中に東京に帰る予定だと告げる。本当に、帰るつもりだった。フェリーの最終時刻まで先生を探してそれでだめだったら帰ろう。そう思っていた。さっきまで必ず会えることを確信していたくせに、いまは会えずにひとりで帰ることばかり考えてしまう。

民家に看板を掲げたような診療所の扉を開けて、私は中へ入っていく。

「すいません」

誰もいない待合室は消毒液のにおいがした。黒いビニール張りのソファーの破れに目をやりながら、私はもう一度「すいません」と声をかけた。受付の事務もいないのだろうか。急患でもあって往診に行ってるのだろうか。

はあい、と中から声が聞こえてきたのは、私が最初に声をかけてから一分以上も過ぎた頃だ。

「はいぃ。どちらさま?」

のんびりとした口調で、ふくよかな初老の婦人が出てきた。

上ずる声で事情を話すと、その婦人は「ああ月島先生じゃね」と笑みを浮かべ、「ここにおられますよ」と大きく頷いた。私はほっとして、涙が出そうになるのをこらえながら「ありがとうございます」と頷き返す。

先生はまだ出勤しておらず、いまはこの診療所の院長である人の家にいるはずだという。ここから歩いてすぐだというので、私は道順を教えてもらい、また歩き始める。

教えられた通り三つ目の角を曲がり、石垣に囲まれた小さな平屋の前で私は立ち止まった。表札はなかったが、黒い瓦屋根に砂色の壁。さっきの婦人が言った通り三毛猫が二匹、玄関の引き戸の前で寝そべっている。

大きく深呼吸して頭の中を整理する。まず第一声、月島先生になんと言うか。自分の感情が露(あらわ)にならない程度に事務的で、それでいて帰ってきてほしいことが伝わるような言葉を、私は探した。

「すみません、月島診療所の志木といいます」

呼び鈴らしきものがないので、私は大きな声を出した。瑞々(みずみず)しい朝の光に照らされた前庭には、群れになったハマヒルガオが淡い紅色の花を咲かせている。こんなに明るくて静かな場所を、見たことがない。

「すいません。月島診療所から参りました」

もう一度声を張り上げる。だが中から出てくる気配はなく、声の響きだけが空に浮き上がった。

私は家の敷地内に足を踏み入れた。初めの一歩はそろりという感じで、後は草を踏みしめながら家の裏側に回る。家屋の周りに幅三メートルほどの庭がぐるりと付いていて、黒土には他にも色とりどりの花が植わっていた。花の色は鮮明で、くすんだ家屋を引き立てている。

揺れるカーテンの向こうで人が動くのが見え、私はもう一度声を出した。すると人影はゆらりゆらりと窓に近づいてきて、同じゆらりのリズムでカーテンを開ける。顔を覗かせたのは、見知らぬ老人だった。

「どなたかな？」

ゆっくりとした口調で老人は言った。

「はじめまして。月島診療所の者です。志木です。こちらに月島先生がおられると聞いたものですから」

耳が遠いのか、横を向いて右耳を私に傾け、老人は神妙な面持ちで話を聞いていたが、しばらくして、

「おおお」

と笑顔で頷いた。大きく息を吐き出すような頷きだった。

「月島くんね？　そこの部屋におるよ」

老人は指差し、横から回って入っていいからと言った。そしてまたカーテンを元の位置に戻して、老人はゆらりゆらりと家の奥に向かって歩いていく。私は渡しそびれた手土産を腕に抱えて、示された横手に回っていく。

カーテンを開け放しにしたサッシがあり、中を覗くと先生が出張に使うスーツケースが見えた。私の直感は正しかった。先生はやはりここにいたと思うと、鼓動が

速くなる。

「先生？　月島先生？　志木です。先生？」

用意していた第一声を忘れ、私はひたすら「先生」と呼びかけた。何度も何度も先生、先生と呼んでいると「せんせい」という音が繋がり、「センセイ」なのか「ソンセイセ」なのか「セイセン」なのか口が縺れてくる。

そのうち近くにいないことに気がつき、靴を脱いで部屋に入ることにした。黒土の上に靴をそろえ、「失礼します」と小さく呟きながら部屋に入った。

六畳間に布団がきちんと三つ折りに畳まれ、部屋の隅に寄せてあった。古い木製の机の上に、いつも左手首に巻いている腕時計が置かれている。骨董だけれど正確に時を刻む文字盤が大きな腕時計は、先生と初めて会った時からずっと左手首にあり、久しぶりに目にすると懐かしい気がした。

腕時計の下に置かれた、白い紙に気づいた。手のひらほどの小さな白い紙が風に飛ばされたりしないように、腕時計は重し代わりに置かれていたのだ。

海にいます

メモ書きにはそう書かれていた。

私は慌ててまたサッシから出て庭に下り、靴をスリッパのように引っかけて、玄関に回る。「すいません」と叫んで先ほどの老人を呼んだ。

「どうしたか？」

「あの、先生がいないんです」

「あ……？」

老人はゆっくりとした動作で首を傾げると、戻ってくるまで中で茶でも飲んでいたらと手招きした。

「海にいるって、書き置きがあったんです」

「海？　じゃあ海だろうさ。そろそろ診療所に行く時間だから、じきに帰ってくるわ」

「海はどっちですか？　あたし、行ってみます」

すぐにでも先生の顔を見たくて、老人に海までの道順を教えてもらうと、私は駆け出した。海への道順を教える時に限って老人は早口で明晰に指示し、気をつけて行くように言った。「海開きにはまだひと月早いからな」という老人の呟きを耳に残しながら私は走った。先生に会えると思うとたまらない気持ちになった。

どの家も同じくらいの高さの塀があり、似た景色が続くので、私は頭の中で何度も老人の教えてくれた道順を反復させていた。二本目の角を左、そこから真っすぐ行き四本目を右に折れまた左、土の小道が見えたらその小道に沿って明るいほうへ明るいほうへと進んでいく。「太陽の光を追って進んでいけば海がある」と老人は言った。

日頃の運動不足と気温のせいで、少し走ると息が上がる。はあはあと大げさな息遣いが、人のいない小道に響いた。右のわき腹が痛くなり、さらに下半身が痛くなり、私は走るのをやめて歩くことにした。それでも気がはやり速歩きになる。老人の示した目印はどれも正確な道しるべとなり、迷うことはなかった。似た家ばかり並んでいたが、赤い花が咲いた家、蜜柑の木が植えられた家、あるいは庭にとてつもない長さの物干し竿がある家など、老人の詳細な記憶に驚かされた。

海へと続く小道まで来た時、私はずいぶん疲労していた。道の先に見える丸い光がなかったら、しばらく足を止め休憩していたかもしれない。木の葉で頭上を覆われ影になった小道はひんやりと気持ちよく、噴き出していた汗を冷やしてくれる。

浜辺に出たら、砂に足を取られてよろめいた。こけそうになり、思わず声を出し尻餅をつく。浜辺に座り込み、私は目の前に広がる強烈な青を吸い込んだ。海も青、空も青。

凪いだ水面に漂う白いものが遠くに見えた。日に焼けた砂の上を這うようにして、海との距離を縮めていくうちに、漂っているのが人であることがわかった。

「先生っ」

大声で叫んだ。

「先生っ」

立ち上がり、走った。

波間に見え隠れしている白いものが先生の頭だと気がついた時すでに、私は腰の辺りまで水の中に浸かっていた。

自分はいつ、どのようにして死ぬのだろう。いつもそんなことを考えているわけではないが、時々はふとそんなことを思ったりする。きっと病院で、知らない誰かに介護されて最期は諦めたように死んでいくんだろうな。

人は生きながら死のことを考える不思議な生き物だ。生をないがしろにするような日々を送っている時でさえ、死については真剣に考えたりする。

「せんせいっ。月島せんせーいっ」

漂う白い影に向かい、私は繰り返し叫んだ。月島診療所がなくなる時は、先生が亡くなる時だと考えていた。だから、先生が診療所を閉めると言った時、嫌な予感がした。先生は死ぬつもりじゃないかと。

患者が全然来なかった雨の日に、先生と話したことがある。

どんな死に方をしたい？

先生は、惨めな死に方はしたくないなと言った。武士のような最期がいいな。精一杯生きて務めを果たした人は、自分の最期の在り方を自身で決めてもいいのではないかと先生は言った。その時、私はなんと答えたのだろう。いまより若かったはずだから、残された家族はどうなるんですかなどと反論したかもしれない。でもいまはなんとなく先生の気持ちがわかる。力道山は、強いまま逝った……。先生の呟きが、思い出される。

いつの間にか、涙が出ていた。もうずいぶんと長く同じ時間を共有してきたのに、先生のことをなにも知らないのが悲しかった。ひとりきりにされてしまった気がして悔しかった。

「……志木さん？」

頭の上から掠れた声が降ってきた。私は手のひらにうずめていた顔を上げ、目を開いた。

全身を水で濡らした先生が呆然とした表情で立っている。用意していた言葉を思い出そうとしたが、声が出ない。

「なにしてるんですか？」

驚いてはいるが落ち着いた口調で先生は言った。白髪が頭の形に張りついていて、耳たぶから真っすぐに水が滴り落ちている。

「先生こそ……なにしてるんですか。こんな……」

涙がまた滲みそうになるので、私は言葉を切る。濡れそぼった老人の姿は、か弱く哀れだった。

「風で飛ばされた帽子を拾いに海に入ったんですよ」

あっという間に沖のほうに流されていくからこれはいけないと思ってね、そう先生は言い、畏まった表情で照れを隠した。

「風邪ひきますよ、まだ水冷たいのに」

水の中に浸かっている腰から下の感覚が、なくなっている。

「風邪をひく前に心臓麻痺でも起こすかと思ったがね」

先生は、人間は案外丈夫にできているもんだからなと頷いた。

「志木さんが還暦祝いにくれた帽子だから、これはいけないと思ってね」

先生は白髪に手をやると、荒っぽい動作で水を含んだ髪をかきまぜ、水滴を辺りに飛ばした。もう片方の手には私と前にいた事務員さんとで贈った黒色のソフト帽が、握られている。

「そんなの、いつでもまた……」

「数少ない大切なもののひとつです。失うわけにはいきませんよ」

先生は「きみまで海に入らなくても」と言っておぼつかない足取りで前に進んだ。その歩みを押し出すように先生の背に波が打ち寄せ、よろけそうになる。

「大丈夫ですよ」

私が口を開くより早く先生は振り返り、笑顔を見せた。

いったん家に戻った先生は、白い半袖のカッターシャツと往診に穿いていくグレーのスラックスを身につけ、いつもの威厳を取り戻した。

「まさか志木さんがここにいるとは、驚いた。本当に、何ごとかと思いましたよ」

着替えをすませた私と縁側に並んで座りながら先生が言った。風が吹くたびに横に倒れていた短い白髪が、さわと立ち上がる。

「あたしもまさか先生が瀬戸内海の島にいるなんて思いませんでしたよ」

「三田くんだな。口の軽いタクシー運転手はいかんな」

医師に守秘義務があるように、タクシー運転手にも乗客のプライバシーを守る義務はあるんじゃないかと先生は理屈っぽい口調で続ける。私が連絡も入れずに突然いなくなったことを責めると、先生は、何度か電話したのだけれど通じなかった、携帯電話の充電も切れてしまってと素直な口調で謝った。

「きみはもう山口(やまぐち)先生には会ったのかな？」

「山口先生って？」

「この家の住人ですよ。八十を超えたじいさんです。ぼくが大学病院で働いていた頃の先輩なんだ」

半世紀近く会ってなかったんだ、久々というよりも奇跡的な再会だなと先生は笑う。

「どうだな、診療所のほうは？」

「どうって言われましても……代理の先生はきちんと来てくださいましたけど」

「閉院を前にして、放り投げるようにこちらへ来たことは心から申し訳ないと思ってます。先週の金曜日に山口さんが倒れたという連絡を受けて、慌てて手伝いに来たんですよ」

病状は大事に至らなかったが、山口医師がもう患者を診られる状態でないことを私に説明すると、先生は空を見上げるようにしてため息を吐いた。

「ところで、ぼくは四国は初めてなんですよ。こんなにいい場所だとは思わなかったな。ほら志木さん、こうすると空のいい匂いがする」

空を仰ぐ先生は、たった数日間の滞在なのに、すっかり島の風景に溶け込んでいた。

「先生、もう帰ってこないつもりですか？」

私は訊いた。

「帰ってこないんですか？」

黙り込む先生の目を見つめながら強い口調で言った。

「そうなるかも……しれません。山口さんの代わりが来るまで手伝って、その後はこの地でのんびりと暮らすのもいい……」

そう言うと先生はさっきと同じように空を見上げ、きみはいまいくつになりましたか、と訊いた。

四十八になったと答えると、先生は笑い「まだまだ若いな」と呟いた。若くないですと言い返すと、もうあと三十年は経たないと、自分のこの気持ちはわからないだろうというようなことを言った。

縁側から見える通りに観光客らしき家族連れが歩いている。両親と子供二人。姉は幼稚園児くらいで、弟はもっと小さく父親の腕に抱かれていた。女の子は歓声を上げながら青色の魚捕り網を振り回している。女の子が母親に向かって「孔雀の色みたいじゃよねー」と叫ぶのが聞こえた。海の色のことを言っているのだろう。

「先生はまだ月島診療所を続けるべきだと思います」

「続けるべき？　そんな義務はないですよ。それにぼくにはもう力が足りない」

手先が震えるようになった、長時間集中する力も衰えてきている、そしてなにより欲望というものがないと先生は静かな口調で言った。

「欲望？　そんなもの必要なんですか」

「欲望。……希望といってもいいかもしれない。とにかくいかなる望みも、いまのぼくにはないんだ。それでも金を儲けたいという欲望があれば、あの場所に留まり医師として働き続けていけるかもしれないが、そうした気持ちもない。診療所を開いた時の借財を払い終えると、稼がなくてはという気持ちも失せてしまった」

月島診療所を立ち上げてからここまで、休むことなく働き続けてきた。開業医として成功したいと強く思っていたからだ。大学病院を退職する際、それは自分にとって納得のいく退き方ではなかったから、切に今後の人生の成功を望んだ。大学に残った同僚たちに負けないように、地域の柱となるような医師になってやると、自分は固く誓ったのだと先生は言った。

「志木さんはぼくが大学病院を退職したわけを知っているかな？　狭い世界だ、患者か業者か誰かに聞いたことがあるでしょう」

先生は穏やかな口調で訊いた。

「はい……あります」

私は正直に答えた。もっとなにかを言おうと思ったが、よい言葉が思い浮かばない。

「業者から裏金をぼくが受け取ったことになっているが、もちろんぼくの袖に金が入ったわけではないですよ。当時ぼくはまだ五十代半ばで、病棟新築や補修工事を行う業者選定の権限などあるわけはないのだから」

先生は表情を硬くすると、顔を洗う時のように両方の手のひらで顔全体をぬぐい、

「組織というのは恐ろしいものだ。なぜぼくに白羽の矢が立ったのかわからないが

きっと、上の者から好かれてはなかったのだろう。懸命に努力して医学を学び技術を突き詰めれば一流の医師になれる。そんな自分本意な性格だったから、人間関係

というものをないがしろにしていたのは、本当のところですから」

と言った。怒りを諦めで打ち消すような、静かな口調だった。

証拠不十分で逮捕こそされなかったが、病院は出ていくしかなくなった。

「つまりスケープゴートだったのだな」

ただひとりだけ最後まで自分を庇ってくれた先輩医師がいたが、彼もやがて居場所を失い故郷に帰っていった。

そして月島診療所を開き、少しずつ軌道に乗りかけた時、今度は家族を失ってしまった。

「いまでもなぜ突然家を出ていくと言い出したのかは不明なんですよ。事件があった時ですら家内は黙ってついてきてくれたんだがねえ……。本当はもうずいぶん前に、なにもかもやめにしたいと思った時期がありましたよ。月島診療所も医師であることもすべて、終わりにしたかった」

ぼくはもう十分にやってきたんです……と呟き、先生はかさついた指で自分の手の甲をなぞる。妻が出ていった時の顔をいまでもはっきりと思い出せるのだよ。いつになくきちんと化粧を施した感情のない白い顔。その顔を見て、もう他人なのだと思った。妻に手を引かれている博一は顔を伏せたままで一度も自分を見ることはなかった……。

先生は大きく息を吐くと、もうずいぶん昔のことだなと言った。

先生の髪はすっかり乾き、風が吹くたびに柔らかく揺れる。生え際まですっかり色の抜けた髪を見ていると、出会った頃はまだ黒髪が残っていたことを思い出した。

「老いていくのが恐ろしいんです。昨日より今日、今日より明日、ぼくの体の機能は少しずつ衰えていく。そしていつかは誰の役にも立たず、誰もぼくを頼らなくなり、人に迷惑をかけながらひたすら死ぬ時間を待つようになる。そんなことを……この頃考えるんですよ」

先生が泣き出すのではないかと思った。気弱な先生の姿を見るのは、これまでで初めてだった。いつも気丈で責任感が強く、時には鼻につくほど自信家で傲慢で、それでも驚くほど親身に患者のことを考えたり動物に優しかったり……。私の知る先生は、孤独という言葉を遠ざけるほどに、医師としての職務を全うして生きていた。

「自分が自分でなくなることが怖いんだよ、志木さん。誰からも相手にされない、ただの衰えたひとりきりの老人になることが」

往診先で幾多の死を看取ってきた。家族や親しい人に手を握られ、声をかけられ、苦しくとも安らぎの中で逝った患者たち。彼らには大切な場所があり、想いを寄せてくれる人があって、それが自分には羨ましくてしようがなかった。

魂が抜け、無力になった体を最後まで守り抜いてくれる人がいることを、情けないくらい、羨ましく思っていた……。

長年包み持っていた大切な言葉を丁寧に取り出しながら、先生は語った。こんなにも自分をさらけ出してくれた人が、かつていただろうかと私は思う。

「あたしが先生と一緒に生きていく……というのはだめでしょうか？」

私は叫ぶように早口で言った。

「それは、……看護師として働き続けてくれるという意味かな」

先生は眉をひそめて少し考え込んだ後、

「きみはきみ自身の人生があるでしょう。ぼくときみではいくつ歳が離れていると思っているんだ。四十代と七十代では見えているものが違いますよ、同じ景色は見えない。志木さんは、まだまだこれからの人だ」

と言い、私の感傷を断ちきるように立ち上がった。「そろそろ診療所に行く時間だな」と呟くと、先生は背を向けて歩き出し、私はその後ろをついていく。視線の先には先生の影があり、太陽の光が強くなったぶん影も濃くなっている。先生は海辺に沿って歩き、私は黙って海に浮かぶ隣の島を見ていた。歩きながら少しずつ海に近づいていくと、先生は浅瀬を指差して、魚がいることを教えてくれた。小さな魚が青を縫ってひらひらと泳ぐ。

「さっきのこと、だけど」

魚の動きを目で追っていると、先生が小さく笑う。

「さっき志木さんが言ってくれたこと、ありがとう」

私は畏まった口調にたじろぎ、先生を見つめた。

「家族が……いたらなと思うことがありますよ、時々。でも本当のことを言うと妻が博一を連れて出ていった時、ほっとした気持ちもあったんです。大学病院をああいう形で退職し、ぼくはそれまで以上に働かなくてはならなかった。ひとりになった時、正直気が軽くなったんです、これで仕事に打ち込めると。こんな人間が夫なのだから、妻が去ってしまったのも納得のいくことです」

先生は堤防沿いの道をゆっくりと歩いた。道の途中には水草がびっしりと水面を覆うため池があり、そのすぐ近くに墓地があった。海沿いには家が立ち並び、塀で囲まれた平屋はどれもみな似ている。歳を取ると弱気になっていけない、と先生は呟き、「いや、気だけではないな。実際に弱くなる。心身ともにね」と言い直した。そして、「志木さん、すまなかった」と少し大きな声で言った。

「えっ？」

先生が頭を下げて謝罪するので、私は首を傾げた。わけがわからず曖昧な笑みのまま次の言葉を待つ。

「ずっと謝りたいと思っていたが、なかなか……」

「なんですか？」

「前に、一度、あなたのつきあっている男性が来たでしょう。ぼくはその人にひどいことを言いました。ぼくの放った言葉が原因であなたとその人がだめになり、その結果あなたがこうしてひとりで生きているのだとしたら、本当にすまないことをしたと思う」

　長い間気にはなっていたが、謝罪をする機会がなかったのだと先生が私を見つめた。

「ああ。そんな、謝ってくださらなくても全然平気ですよ。やだな。だってほんとろくでもない人だったんですからっ。先生が言ってくださってあたしも目が覚めたし……」

　いまだ仕事を探してぶらぶら。女に食べさせてもらっているんですからと、頭の中で呟く。

「ぼくのあの男性への評価はいまも変わらない。けれどもし、もしもだ。あなたが家庭を持ち子供でも成していたら、人生は変わっていたと思う。あの男性とはいずれ別れることになったとしても、あなたは自分の子供と人生を生きられる。誰かと生きるというのは、楽しいことだろうと思う」

　風が吹くたびに潮の香りがし、頭の奥を刺激する。朝の陽射しは眩ゆいのに、先生の輪郭も目の前の景色もどこかぼやけて見えた。

「ここは、島の展望台でもあるんですよ」

先生は段になった石を一歩一歩上がり、踏みしめるように上がっていく。展望台といってもほんの少しだけ平地より高い位置にあるだけだった。

「ここへ着いた日、ぼくはこの寺から海を眺めていたんです。じっと目を凝らしていると桟橋に船が入ってきて、乗り降りする人の姿もはっきりと見えたんですよ。なんというか……感動したな。海とともに生きる。そういう日常があるのだということに、ただ驚いたんですよ」

日中歩き回るのは辛いから、島の散策をするなら夕方にしたほうがいいと先生は言った。

「人が自然を好む理由が、ここへ来てわかった気がします。人は人に対して繕うのであって、自然の中では繕う必要がない」

その逆としてわれわれの暮らす東京は人間が多すぎるな、と先生は苦く笑った。

私は黙って頷く。

「さっきの……話ですけど、先生」

と、私はずっと訊ねてみたかったことを口にする。

「先生は後悔してるんですか？　奥さんと別れたこと」

先生は私に背を向け海を眺めていた。私は先生の日に焼けた項（うなじ）を見ている。

「後悔？　う……ん、正直なところ残念に思ったこともあります。でもさっきも話しましたが安堵もありましたよ。妻子のことを慮る必要のない気楽さ、かな。だが気楽さは、空虚に繋がっていくのだということをこの年齢になって初めて知ったよ」

「空虚？」

「ぼくは間違った方向に向かって力を注いでいたのかもしれない」

毎日多くの患者に接しているのに、自分はこれまで誰とも関わらずひとりきりで生きてきたような気がすると、先生は言った。

「いまからでも遅くないいんじゃないですか？」

私は言った。

「いまからとは？」

「巻さんや博一くんと、家族……というのではなくても人生のある期間深く関わった人同士として、またやり直せたら」

「それはできない。彼女は再婚をして新しい家庭を持ち、博一にしてもあの日以来話をしたこともないいんですよ。顔も見ていない。普通父親だったら息子に会いたくなり、会わせてほしいと交渉したり、無許可で姿を見に行ったりするのだろうが、ぼくはしなかった。そんなぼくだから、彼も会いたいとは思わない」

きっぱりと先生は言い、感情を隠すためか目に力を込めて海の遠く一点を見つめる。この人は小さな頃から変わっていないのだろうと思う。自分を強く見せるために、自分の弱さを覆うために物騒な知識をまとい武装していた不器用で臆病な少年のまま成長し、そして家族にまで自分の本心を出さずに生きてきたのかもしれない。

「先生、これ。あたし、これを渡したくて」

肩に下げていたバッグから、私は茶封筒を引き抜く。水鳥さんがきちんとファイルしてくれたので、博一くんから届いた封筒は折れたりよれたりすることなく先生の手に渡った。宛名の「月島英雄様」という字面を見た後、先生は封筒を裏返し、差出人の名を細めた目でなぞった。細めていた目が一瞬、大きく見開き、結ばれていた口元が息を吐き出すように緩んだ。糊で貼られた開封口を丁寧に指先で剝がし、時間をかけて封を破っていく。繊細で慎重な手つきと先生の後ろに広がる海の青を、私は代わる代わる見ていた。静かな時間だった。

先生はまず中に入っていた手紙を読んだ。目線の辺りまで掲げた便箋が陽の光を受け、文字が裏から透けてみえた。ただ五行くらいの短い文章だった。読み終えた手紙を折り目正しく丁寧に畳み、ワイシャツの胸ポケットに差し込むと、先生はまた封筒を覗き、中から二つ折りになった画用紙を抜いた。画用紙を開くと、色とりどりのクレヨンで、人の絵が描かれていた。子供が描いた絵のようで、白衣らしきものを着た男が、顔と同じくらい大きな手に、これまた太い注射器を持っている。

絵の右上にはオレンジのクレヨンを使って、たどたどしい平仮名で、「つきしませんせい」と書いてあった。

「志木さん、博一が手紙を寄こしましたよ。長年の医師生活お疲れ様でした、と書いてきたよ。これは博一の子が描いてくれたんです。四歳の女の子だそうです。もし、そうだな……あれだな。遺伝的なことだけで考えると……ぼくの孫ということになるんですね」

先生は眩しい太陽の下で長い時間をかけ、色使い鮮やかな絵を眺めていた。絵の中の先生が着ているグレーの白衣が、おそらく白いクレヨンでは描けないのでグレーを使ったのだろうが、白銀に輝いている。

「これは、間違っているな。志木さん」

先生が絵の中の「つきしませんせい」の顔を指差して怒ったように言った。

「えっ？」

私は、全体の割合からすれば大きすぎる「つきしませんせい」の下膨れの顔を見つめる。

「これは、勘違いしているんじゃないかな」

もう一度、先生は強い口調で言った。

「絵の中のぼくは、ほら額帯鏡を装着しているだろう。額帯鏡を使うのは耳鼻科医だ。子供というのは、あれだな。自分がしょっちゅう鼻を詰まらせて耳鼻科へ行くものだから、医者というものは額帯鏡を常に頭に巻いているものだと思っているのだな。それは大きな誤解だな……」

強かった口調がしだいに小さく弱く掠れていき、先生は瞼を閉じた。瞼を強く閉じたまま、唇を固く結んだ。

私は画用紙に視線を落とし、銀色に光る額帯鏡を頭に載せた「つきしませんせい」のにこやかな笑顔を見たまま、声をかけることはしなかった。

「志木さん、ぼくは……なにも持たないまま、大切なものがなにもないまま死んでいくことが、怖いんですよ」

目を閉じたまま、先生は言った。

「あたしも……怖いです。いろんなこと、怖いです。これから何年働くことができるのか、誰からも必要とされずひとりで生きていけるのか、他人を羨ましく思う気持ちを抑え続けられるのか、なにもかも怖いです」

「あなたは、まだ若い。ぼくよりずっと未来がある」

「先生より若いから、まだまだ長く生きなくてはいけないから、怖さももっと大きいんです」

「悲観的なことを考えてばかりいてはいけない。明日は思うほど悪い日じゃない」

「そんな言葉が言えるんだったら、先生もまだ頑張り続けてくださいよ。よぼよぼになって、みっともなくなって、患者さんが誰も来なくなるまで先生でいてくださいよ。あっさり診療所を閉めないでください……戻ってきてくださいよ」

涙をこらえきれなくなって手のひらに顔を伏せたのは、私のほうだった。片方の手で先生の腕をつかみ、明日一緒に帰ってくださいと繰り返し呟いた。帰る場所はあるじゃないですかと、心の中で叫んだ。


その夜は、山口さんの家に泊めてもらった。六畳ほどの台所に座布団を縦に並べ、バスタオルを掛けて眠った。夕食を食べた後、山口さんは酒も飲んでいないのに酔っ払ったような勢いで、昔の話をした。先生も山口さんもまだ二十代で、医学生だった頃の話だ。話の中の二人は無限の未来を前に、大声を張り上げ突進していく若者だった。毎日十時間も勉強し、その後一升瓶を飲み干す。大げさな武勇伝に私たちは大いに笑った。

山口さんは、先生と同じ時期に大学病院を辞めてこの島に戻ったのだと教えてくれた。

そうか、この人が最後まで先生を庇ってくれた先輩だったのかと納得する。だからいま、先生はこうして島にやってきた。山口さんを助けるために。

にぎやかな宴が終わり、いよいよお開き、それぞれの部屋に戻って眠ろうということになった時、先生が私の腕を強く握った。

「志木さん」

襖一枚隔てた部屋で、山口さんの独り言とも寝言ともつかない声が聞こえてくる。

「志木さん、心配することはないよ。ぼくは生きるつもりでいまここにいる」

先生は、やはり東京へは戻らないと告げた。

「どうしてですか？」と私は訊いた。なぜこんなところまで来たのですか。

するとと先生は、

「ここに自分の仕事がある」

と答えた。そして、「最期の時はひとりで迎えたいんです、知った誰にも同情されることとなく」と微笑む。

「ひとりでなんて決めつけなくてもいいじゃないですか」

「いや、ぼくはこれまで誰にも甘えずに生きてきたつもりです。そして誰をも甘えさせずに……これは罪悪だな。だから最期になって急に寂しい、誰かに頼りたいとじたばたするのは卑怯な気がするんです。心配しないでも大丈夫。島の診療所を引き継ぐ医師が赴任してくるまで、ここで働こうと思っています」

実はすでに自分の患者が島にいる。

この島を訪ねてきた日、たまたまその日に脳梗塞を起こした男性がいて、応急処置をしたのだと先生は言った。一命をとりとめたその患者が回復するのを見ていると、この島に必要とされている気がした。こんな自分にもまだ役に立てることがあるのでは、と。

今後のことは専門の代理人に任せてあるからなにも心配はいらない、と先生は頷き私は黙って下を向いた。

これだけのことを伝えると、先生は私の腕に添えていた手をそっと離し、「おやすみ」と部屋に戻っていった。診療所で言う「おつかれさま」と同じ、特別な感情のない従業員に向けての声だった。

座布団の埃っぽいにおいの中で、私はそれからひと晩中眠ることができなかった。先生が見ている景色を、三十年後の自分は見るだろうか。そうして三十年後、自分の見たものを報告したいと思っても先生はいなくなっているだろう。先生の感じている怖さや寂しさや虚しさを知る頃、自分のそばには誰かいるのだろうか。志木さんは、まだまだこれからの人だ……と言った先生の声が何度も繰り返し頭に蘇る。

港を出発するフェリーの甲板に立ち、私は目の前の緑の小山と船が浮かぶ海の色を見ていた。先生が見送りに来ていた。手を振るわけでもなく、合図するわけでもなく、声を出すわけでもなく、港に直立していた。白いカッターシャツにえび茶色のスラックス、頭には黒いソフト帽が載っている。先生は眩しそうに目を細め、私を見ていた。

　足元からエンジンの振動が這い上がり、船体が動き始めると、私は片手を大きく上に伸ばし左右に振った。先生は両手をぴたりと体側につけたまま腰を曲げ、お辞儀をした。

　船と港の間の海には、白い泡でできたひと筋の道ができていた。

波光
――はこう

祖父が暮らす瀬戸内の島に着いたのは、夕方五時前だった。

船から下りたとたん雪女が口から吐き出すような冷風が海側から吹きつけてきて、戸田澪二は桟橋の上で強く足を踏ん張る。瀬戸内の海は穏やかだから——。いつか誰かがそんなことを言っていたが、とんでもない。風に巻かれるようにして立ち上がった波が、桟橋に立つ澪二に、雹のような飛沫を飛ばしてくる。

振り返り、島を仰ぎ見た。島は土地全体が緩やかな山になったいわば島山で、港のある海側の山裾に家屋が立っている。

大晦日だからか。いつもこんなものなのか。船から港に下りたのは澪二を含めた四人だけで、他の三人は瞬く間に視界から消えてしまっていた。人口四十人足らずの島なので普段から人通りは少ないのかもしれない。

ひとりきりで桟橋に立ち尽くし、途方に暮れる。風が吹くたびに嗅ぎ慣れない潮の匂いが、澪二の鼻先を掠めていく。

「どうしよっかな……」

とりあえず祖父の自宅に電話をかけようと思ったが、間抜けなことに電話番号がわからない。前に島に来たのは祖母が亡くなった三年前のことで、その時は家族も一緒だった。どうしたものかと考えながら、無人の待合所の前に置かれた青いベンチに腰かける。餌をもらえると思っているのか、白い猫が上目遣いでこっちを見ていた。

「ねえ聡くん、あなた今日、おじいちゃんのところに行ってくれない？　昨日から何度か電話してるんだけど、全然出なくて……」

　母の佳澄が兄にそんなふうに話しかけていたのは、今朝のことだった。澪二がダイニングで朝ごはんを食べていた時だ。聡は澪二の五歳年上で、今年の春に大学を卒業し、都内の医療器具を扱うメーカーで働いている。

「そんなこと急に言われても無理だよ」

「どうしてよ。なにか用事でもあるの？」

「スノボ行くんだ」

「誰と」

「会社の同期。今日の夕方から出発するんだ。心配ならお母さんが行ったらいいんじゃないの？」

「それが無理なのよ。今日はお義母さんのホームに顔を出す予定になってるから。ケアマネさんもいらっしゃるから、予定変更なんて簡単にはできないの。あのね、実はね、おじいちゃんが夢に出てきたのよ。お母さん、めったなことで夢なんて見ないのに、なんかえらくはっきりした夢だったの。おじいちゃん、一年半ほど前に脳梗塞やってるでしょ。だから妙に気になっちゃって」

母は恨めしそうな顔で兄を睨み、大げさにため息を吐く。

「おれ……行こうか」

母と兄の視線が、同時に澪二を射抜く。母はこれみよがしに目を剥いていて、兄は心底呆れた表情だ。

「受験生がなに、言ってるの」

短く息を吸った後、母の小鼻が膨らむ。

「澪二、あなた、二週間もしたらセンター試験だってことわかってる？」

「……わかってるよ」

「わかってて、そんなにのんびりしてるの？　驚いた。この前の模試でD判定だったって言ってたわよね。T大しか受けないっていうのに、そこがDよ、D。ビーじゃなくてデ、イ」

「強調しなくても、わかってるよ」

「じゃあいまの時期にD判定って状況もわかってるの？」

「うん……わかってる」

「あなた自分で、これはまずいって言ってたでしょ。それなのに切羽詰まった感じがしないっていうか。そうよ、全国高校駅伝の後からよ。京都に応援に行って、帰ってから全然勉強しなくなったじゃない。あなたほんとに大学行く気あるの？」

「だから……わかってるって言ってるだろっ」

まだ皿に食パンが半分残っていたが、澪二は椅子から立ち上がった。そのまま二階に上がろうかと思ったけれど、居間に転がっていた自分のリュックを手に、気がつくと玄関に向かっている。

「ちょっと、どこ行くの澪二」

「友達のとこ」

「待ちなさい、澪二。澪ちゃんってば」

行くあてなどどこにもなかった。けれど勢いのままスニーカーを履き、逃げるようにして家を飛び出していた。


「お兄さん、どうしとるん？　船はもう、しもたよ」

ベンチに腰かけたまま夕陽(ゆうひ)が海に落ちるのを見ていると、自転車を引いた知らないおばさんがこっちに向かってきた。

「知り合いを訪ねてきたんですけど……電話が繋(つな)がらなくて」

「誰」

「へ？」

「誰を訪ねてきたんじゃ」

「城山……城山栄一っていう」

「ああ、石の博物館の館長さん。あんたもしかしてお孫さん？」

「まあ、はい」

「どこから来たんじゃ」

「東京です」

「そう。ご苦労なことじゃねぇ。石の博物館なら通り道じゃ、連れてってあげる」

おばさんは、あと十分ほどで日没だから、早く動いたほうがいいと澪二に言ってきた。都会とは違い、日が沈んだ島は夜が早いからと。

澪二はベンチから立ち上がり、リュックを背負っておばさんの自転車の後ろをついて歩いた。港からほんの数十メートル歩いた先に「浦地区」「浜地区」と矢印のついた看板があり、おばさんは迷わず浦地区のほうへと進んでいく。

「ここは診療所。知っとった？」

港のすぐそばには島唯一の診療所があった。平屋の白い建物は澪二もよく憶えている。

「知ってます。ぼくも子供の頃に来たことがあります。海で遊んでて手の甲を切った時に縫ってもらって」

あれはいつだったろうか。この診療所で傷の手当をしてもらった。

「そうか。その頃の先生とは代わっとるじゃろうけど、いまの先生もええ人じゃよ。月島（つきしま）先生いうて、あんたと同じ東京から来られたんじゃと」

　一年前の大型台風の時にはこの辺りまで海水が来たんじゃ、とおばさんが澪二を振り向き、眉をひそめる。診療所も浸水し、先生と看護師さんがずいぶんがっかりしていたのだ、と。

　そうなんですか、と相槌（あいづち）を打ちながら、澪二は海沿いに立ち並ぶ民家を見ていた。ほとんどの家が空き家なのだろう。表札がない。家屋全体を蔦（つた）に絡み取られ、黒い屋根瓦しか残っていないような平屋もある。波板で組み立てられた掘っ立て小屋の前に、ぼろぼろの漁網や浮き球が放置されていた。

「お兄さん、あんた足悪いの？」

　右足を庇（かば）いながら歩いていたので、おばさんに少し遅れていた。

「ちょっと……怪我（けが）してて」

「もうちょっとゆっくり歩こうか」

「いえ大丈夫です。これくらいなら全然」

　澪二はそう言ったが、おばさんは急に歩くスピードを緩め、隣に並んだ。海岸に沿って高さ二メートルほどのコンクリートの堤防が続き、堤防沿いの道をゆっくりと進んでいく。そういえば昔、「堤防の上を歩きたい」と祖父相手に駄々をこねたことがある。祖父は「危ないぞ」と渋っていたが最後は自分も堤防に上がり、手を引いて歩かせてくれた。堤防の上から見た景色は忘れてしまったけれど、自分なりにすごい冒険をしたという達成感は憶えている。

昔はね、おばさんちもキスゴ網漁をしとったんよ。ハマチなんかも獲(と)れたんじゃけどいまは漁師も少のうなって……。おばさんの話を聞きながらのんびり歩いていると、海に突き出す一本道が見えてきた。あれはなんだろう。石造りの桟橋にも見えるが、堤防を乗り越えてしか行くことができないので桟橋というわけでもないだろうし……。

「あれなんですか。あの、沖に向かって真っすぐのびてる」

「ああ。あれは一文字(いちもんじ)じゃ」

「一文字?」

「東京の人はそうは言わんのじゃろか。沖にのびる防波堤のことじゃよ。アサリの養殖を始めるからと前に造ったんじゃけど、結局はやらんかったんよ」

長さ三十メートルほどの一文字は二か所あり、ずっと沖のほうまで突き出していた。

「お兄さん、着いたよ。この細い道を上がった先に茶色の大きな建物があって、そこが石の博物館じゃ。寄り道せんと行きなさいよ。山のほうは猪(いのしし)が出るでな」

「猪……ですか」

「岡山から泳いできよるんじゃ。じゃあな、私は八幡様に参ってから帰るで。よいお年を」

おばさんは自転車を押しながら、少し先の山に続く細道を上がっていく。遠ざかるおばさんを見送っていると、こんもりとした山の中腹に鳥居が見えた。

畑と家屋の間の道を山に向かって歩いていくと、おばさんの言った通り茶色の建物が見えてきた。懐かしい。そうだ、ここが祖父の博物館だ。焦げ茶色の外壁に灰色の三角屋根を載せた洒落た建物を見上げながら、博物館に隣接する自宅の玄関に回った。深緑色をした鉄製の門扉の両側に自然石を使った門柱があり、そこに呼び出しブザーが付いている。

澪二は数秒ためらってから、ブザーを押した。自宅の平屋は小さいので、ブザーの音がそのまま外にまで響いてくる。

だがしばらく待っても、祖父が出てくる様子はない。

もう一度、ブザーを押したが、やはり玄関のドアが開くことはなかった。

「こんばんは。澪二です。戸田澪二です。じいちゃん、いますか」

澪二はその場で声を張った。祖父は今年で八十三歳になったというから、耳が遠くなっていてもおかしくない。じいちゃーん、城山さーん、と叫びながら、澪二は門扉越しに顔を出し、庭にいないかと探った。冷気がスニーカーの底から這い上がってくる。歩いている時はそうでもなかったが、こうしてじっと立っていると足から順に凍ってしまいそうだった。

おじいちゃん、一年半ほど前に脳梗塞やってるでしょ。

母が言っていたことがふと頭に浮かぶ。

かじかんだ指先で、もう一度、今度は長くブザーを押した。物音ひとつしない夕闇に、ブザー音だけが虚しく鳴り響く。

まさか……。

まさか？

まさか、母が心配していた通りのことが起こっているのだろうか。

澪二は門扉を開けて、右足を引きずりながら玄関に続く石段を駆け上がった。ドアまでたどり着き、力任せにドアを引いてみたが、びくともしない。一番近い窓まで移動して、窓枠に手をかけ思いきり引いてみる。だがこっちもまったく動かない。

漠然とした不安が徐々に、現実味を帯びていく。いつだった？　お母さんがじいちゃんと最後に電話で話したのは、いまから何日前のことだ？　本土からフェリーで二十五分かかるこの島に、たしか病院はなかったはずだ。診療所はあるが、医師が診察してくれるのは週に一度だけなのだと母が言っていた。前に倒れた時は、たまたま博物館の中で作業をしていて、訪れた客に助けられたという。診療所に医師がいる日で、それも脳外科専門の先生だったことも幸いしたのだと、母が涙まじりに話していたのを憶えている。

澪二は窓の前に立ち、思いきりガラスを叩いた。冷たいガラスを拳で打ちながら、この島に救急車はあるのだろうかと考えていた。いや、救急車などあるわけがない。船も終わっている。一一九番通報しても、助けが来るのはずっと先だ。母の嫌な予感が予言になって目の前に現れる。

まさかじいちゃん、また……。

素手で叩いてもびくともしないガラスから手を下ろし、澪二は石を探した。外壁に沿って家の周りを歩きながら、地面に転がっているだろう石を探す。石を思いきりガラス窓に打ちつけ、手を中に入れて鍵を外そうと思ったからだ。

だが手入れの行き届いた庭に、不要な石など転がってはいない。石の博物館が目の前にあるのに、いまここでたった一個の石を見つけることができないなんて。

それでも必死に石を探していると、背後で足音が聞こえた。

「誰だ！　人の家の庭でなにしてる！」

慌てて振り向くと、白いビニール袋をさげ仁王立ちした祖父が、澪二を睨みつけている。

最後に顔を合わせたのは、祖母の葬式だった。その時澪二は十五歳だったので、いまよりずっと華奢な体つきをしていたはずだ。だが目の前の祖父は、時が止まったかのようになにひとつ変わっていない。こざっぱり切りそろえられた白髪、がっしりとした顎、太い首回り。物怖じしない堂々とした佇まいは、八十を過ぎても健在だ。

「じいちゃん」

「……澪二か?」

「よかった……何度声をかけても返事がないから、おれ心配して」

「おまえ、窓から入ろうとしてたのか」

「そうだよ。じいちゃんが中で倒れてると思ったんだ。石で窓ガラスを割るつもりだった」

「そうか」

いい顔をしていた、と祖父が頷く。人を助けようという確固たる思いが漲る、いい顔をしていた。祖父はそう言って澪二に近づくと、大きな手のひらを澪二の頭の上に乗せた。

「いま近所の家からタチ貝を分けてもらってきたところだ。夕飯に一緒に食べよう」

玄関に続く石段をゆっくりと上がりながら、祖父が「よく来たな」と笑ってくれる。「なにしに来たんだ」ではなく、「よく来たな」と。それだけのことで涙が出そうになった。

玄関口でスニーカーを脱ぎ、冷たい廊下を祖父の後ろに続いて歩いた。

家に上がると古家特有の甘い埃のにおいがして、子供の頃の記憶が立ち上ってくる。歩くと軋む板張りの廊下や、ざらりとした手触りの砂壁が時間を巻き戻していく。三年前の祖母の葬式では、この狭い平屋にひっきりなしに弔問客が訪れた。お通夜から出棺のその時まで、島内外から多くの人が訪ねてきたのだ。

襖を引いて、祖父が暗い部屋に入っていく。電気が点くと部屋の真ん中辺りに置かれた炬燵が目に入り、ここが居間であることを思い出した。几帳面な祖父らしく、部屋の中は祖母がいた頃よりもこざっぱり整えられ、障子や襖も最近張り替えたのかきれいなままだった。

「まあ座りなさい。疲れただろう。東京からだと半日かかると、佳澄もしょっちゅう文句言ってるからな」

聡と澪二が小さい頃から、母は夏になると兄弟を連れて祖父母の家を訪れた。その頃はまだ祖母も元気だったので、実家に戻った母は家事をいっさいしなかった。山で虫を捕ったり海で魚釣りをしたり。澪二は島での母がいつもの神経質な母じゃなくなり、いい意味で大ざっぱになるのが嬉しかった。いまから思えば祖父母の前では母親業を休んでいたのだろう。娘に戻った母は普段よりずっと寛大で、自分と兄が少々無茶をしても笑って流してくれた。

毎年楽しみにしていた島旅行がなくなったのは、兄が高校に入った頃くらいだろうか。兄が家族旅行についてこなくなり、でも家事のできない父と二人で家に置いていくわけにもいかず、母の足も遠のいたのだ。澪二にしても中学で陸上部に入ってからは、部活が島遊びよりも重要になり、祖父母と過ごす夏休みはいつしか思い出に変わっていった。

「あの……じいちゃん、体はどう？　お母さんが心配してたけど」

「おお、もうすっかりいいぞ。新しく赴任してきた医者が腕の立つ人でな。本土の病院に通うまでもないわ」

「東京から来た先生なんだって？」

「そうだ。澪二おまえ、よく知ってるな」

祖父は微笑(ほほえ)むと、ポットから急須に湯を注ぎ、お茶を淹(い)れてくれる。

「腹は減ってないか」

「平気。コンビニでパン買って、船の中で食ったから」

もし澪二が「減った」と言ったとして、祖父はなにか食事を出してくれるのだろうか。そもそも料理はできるのだろうか。澪二の古い記憶の中に、祖父が家事をしている姿などまるで残っていない。じいちゃん、毎日なにを食ってるんだろう。そ

んなことを思いながら部屋の中を観察してると、祖父が、

「眠くなったらあっちの部屋で休むといい。布団が敷いてある」

と襖一枚を隔てて繋がる和室を指差した。

「おまえはここでゆっくりしなさい。わしはこれから作業の続きがあるからな」

「作業？」

「博物館を改装してるんだ。明日の朝、元旦の午前九時に開館すると告知しているからもうあまり時間がなくてな。リニューアルオープンまであと半日ほどだ」

頬を緩め、やや得意げに胸を張ると、祖父が背中を向けて部屋を出ていく。リニューアルオープン？　果たしてここは、そんなたいそうな博物館だったろうか。温かな煎茶を口に含んで緊張を緩めると、船に乗っていた時のゆらゆらとした感覚がふいに襲ってくる。

澪二は炬燵に足を突っ込んだまま仰向けになり、茶色い沁みが点々と浮く天井を見つめた。お母さん、心配してるだろうな。島に来てること、連絡したほうがいいよな。ぶ厚い炬燵布団を肩の上まで引き上げ、両目を閉じる。行き先も告げずに家を飛び出してきたことを少し反省したが、でもやっぱりいまは話したくない。

炬燵のぬくもりに包まれて、夢を見ていた。

夢の中の澪二は競技用のタンクトップとショートパンツを身につけ、睨みつけるようにして岩下監督の話を聞いている。

「いいか、今日の走りを見て、駅伝のメンバーを決めるからな。来月十一月の予選も、十二月の本戦も、今日決めたメンバーで臨むと思ってくれていい」

澪二の通う高校は、毎年十二月に催される全国高校駅伝の常連校だった。昨年も東京都の代表校になり、十二月の本戦に出場した。まだ二年生だった昨年はメンバーには選ばれたものの控えに回り、予選でも本戦でも走ることはできなかった。だが先輩たちが抜けた今年、澪二のタイムは部内でトップをキープしている。五千メートルを十三分台で走るのは澪二ただひとりで、メンバーに選ばれるのはほぼ確定していた。

「三年生にとっては最後の大会だ。すべての力をここにぶつけるつもりで悔いのない走りをしろ。それから一、二年生、おまえらはチャレンジャーだ。自分が一区十キロを走る、そんな気持ちで挑んでみろ」

岩下監督の話を聞きながら、澪二はグラウンドに石灰で引かれた真っ白な線を見つめていた。一周で四百メートルある楕円形。この楕円形の周りを、自分は毎日飽きもせず走り続けてきた。なぜ陸上をやるのか。理由は簡単だ。人に勝てることが、それしかなかったからだ。幼稚園の時から足だけは速かった。小学生の時も、運動会とマラソン大会の時だけ、クラスメイトや教師たちが澪二に向かって声援を送ってくれた。

　だが中学で陸上部に入り、レベルの高い大会に出場するようになると短距離で勝てなくなり、長距離に転向した。もともと適性があったのか、長距離に転向してからのほうが、上位に食い込めるようになった。幸い心肺機能も高く、長距離選手として試合に出るようになって間もなく、都内の大会では必ず入賞するようになっていった。

「いいか。うちが目指すのは予選突破だけじゃない。全国での優勝だ。昨年は結果を残せなかったが、今年は絶対にいける。全国優勝ができるメンバーがそろったと、おれは思っている」

　岩下監督の話が終わると、部内の選考会に参加する総勢二十五名の選手が立ち上がった。澪二も厚い雲に覆われた空を見上げながら、ゆっくりと腰を上げる。十月上旬。まだ夏の蒸し暑さが残るこの時期に、うちの陸上部では年末の駅伝のメンバーが決まる。

　その場で足踏みをしながら、膝の裏や太腿（ふともも）に張りついていた砂を払った。朝から降っていた雨のせいで湿度が高く、空気も重い。

　スタートラインに立った時は昂揚感で胸が熱くなっていた。負ける気はしない。

周りの選手も、澪二に勝てるとは思っていないはずだ。

一年生が五人、二年生が八人、そして澪二たち三年生十二人が実際の試合のように横三列に並んだ。四百メートルのトラック二十五周のタイムを競い、大会のメンバーに名を連ねるのは十人。そのうち三人が控えに回る。

マネージャーのホイッスルを合図に、二十五人がいっせいにスタートを切った。スタートから三十秒も経たないうちに、強い奴(やつ)はすでに抜きん出ている。もちろん澪二も先頭集団についている。二年の有望株、本下(もとした)が風除(かざよ)けを買って出てくれた。先行するランナーが風圧を一身に受けるので、うちの部では実力のある下級生が自らその役割を担うのが伝統になっている。澪二は風を受けて先頭を走る本下のすぐ後ろに、ぴったりとついた。

右膝に違和感を感じたのは、十五周目に入ってすぐだった。最初は小石が突き刺さったような痛みを覚え、それを無視して走り続けているうちに、限界まで伸びきったゴムがちぎれる、ブチッという音が聞こえた。その音が自分の膝から発されたとわかった瞬間、骨が裂けたのかと思うほどの激痛が右脚を貫いた。気がつくと、両手で右脚を抱え込むようにして倒れ込んでいた。後続の選手の邪魔にならないよう、這いながら必死にトラックの内側へと移動する。奥歯を嚙(か)んで痛みに耐えたが、喉の奥から呻(うめ)き声(ごえ)が漏れた。

「誰か、保健室から担架持ってこいっ」

岩下監督の叫び声がくぐもって聞こえたのは、澪二の目から涙が溢れていたせいだ。涙が耳の穴に流れ込み、周囲の音を遠ざけていた。

痛みで泣いているのではなかった。悔しくて、悔しすぎて泣けてきたのだ。

その後すぐに岩下監督の車で、近所の総合病院に向かった。その病院の整形外科にはスポーツ医学を専門とする宮路先生がいて、澪二もしょっちゅう世話になっていた。うちの部員は全員、宮路先生の患者だ。先生のいいところは腕前もさることながら、多少の無理はさせてくれるところだった。練習を休めない。試合に出たい。そんな選手の気持ちを尊重し、できるだけ早くの復帰を目標に掲げてくれる。テーピングの技術も一級品で、どうしても欠場できない試合には、先生自らの手でテーピングをしてくれるのだった。

神の手――。ありふれた言い方だけれど、宮路先生のことをみんなそう呼んでいた。どうしようもない局面を、澪二自身これまで何度も救ってもらってきた。

そんな宮路先生に「一か月後に手術をして、完治までに八か月かかる」と言われた。

「冗談でしょ、先生。予選は来月なんですよ。手術したら間に合わないじゃないですか」

ブロック注射でなんとか痛みを散らせないかと、澪二は食い下がった。

「注射で抑えられるような痛みじゃないだろ。それはきみが一番よくわかってるんじゃないか」

「……頼みますよ、先生。どうにかしてくださいよ……。おれ、この大会にかけてここまで……がんば……」

家族以外の前であんなに泣いたのは初めてだ。プライドを捨て、全身全霊ですがれば、神の手がなんとかしてくれる。そんな甘えがあったのかもしれない。

「きみには将来がある。大学でまた頑張ればいい」

宮路先生は言葉を尽くして慰めてくれたが、澪二にとっていま走れないということは、将来が消えたのと同じことだった。

それから三週間が過ぎ、一週間後に手術を控えた十月下旬のことだった。

あの日澪二は、部活に顔を出した後、病院に向かうつもりで、グラウンドに続く渡り廊下を歩いていた。

「戸田、これから病院か」

背後から自分の名を呼ぶ声がして、振り返ると岩下監督がにこやかな表情で立っていた。

「はい。部活に顔出してから病院に行きます」

「どうだ調子は」

「まあ……大丈夫です」

正直なところ痛みは日ごとに強くなっていたし、鎮痛剤も限度数を超えて使っていた。手術も不安だったし、本音をいえば学校も休みたいくらいだった。それでも「大丈夫」と返す以外、言葉はない。岩下監督は「そうか」と頷いた後、ちょっと話があるんだと澪二を手招きした。そう長い話じゃないから、病院に行く前に聞いておいてくれないか、と。

岩下監督が担任をしている一年二組の教室には、誰もいなかった。生徒たちの熱気はまだ残っていたが、空っぽの教室は清々しいような寂しいような感じがした。

「まあ座れよ。どこでもいいから」

促され、一番前の窓際の席に着く。自分の教室ではそこが澪二の席だったから。

「えらい隅っこにしたな」

作り笑いを浮かべた岩下監督が近くの椅子を持ってきて、澪二に向き合うように腰を下ろした。

この時点で嫌な予感はあった。

もともと無頓着で、このうえなく無神経な岩下監督が、こんなふうに改まって話をするというのだ。いい話であるわけがない。だから、

「なあ戸田、T大のスポーツ推薦なんだが、今回は辞退したほうがいいんじゃないか」

そう言われた時、やっぱりという気持ちだった。ずっと俯いていたかったけれど、顔を上げて岩下監督の目を見る。

「故障した選手はいらない。……そう言われたんですか」

音楽室が近いからか、楽器の音が聞こえてきた。吹奏楽部だろう。調和の取れた音ではなく、それぞれが思うままに楽器を吹き鳴らし、耳障りな音を出している。

「いや、まだはっきりと言われたわけじゃない。ただ推薦で入ると、結果が出なかった時に居場所がなくなるだろう。周りの目もスポーツ推薦で入った奴には厳しいしな」

推薦入学は辞退しろ。まずは怪我を治すことに集中して、進路のことはその後でゆっくり考えればいい。大学入試まではまだあと二か月あるんだ、進路を見直す時間は十分残っている。岩下監督の言葉が、澪二の頭を素通りしていく。

「先生はもう……手術をしてもおれが……。おれが、前のようには走れないって思って……わけですね」

「そんなことは言ってない。戸田は怪我を克服する。先生は信じてる」

青春ドラマの教師のように、岩下監督が太い声を出す。だが澪二は知っていた。無理めの目標を口にする時、岩下監督はこんな言い方をする。

「わ……かりました」

「そうか。わかってくれたか。リクルーティングに来たT大のコーチには先生のほうから伝えておくから、おまえはなにも心配しなくていいぞ」

わかったのは、自分がもう「欲しい選手ではなくなった」ということだけだった。口答えしなかったのは、口を開くと泣いてしまいそうだったからだ。

それから岩下監督は、スポーツ推薦で大学進学したものの、結局は芽が出ず、悲惨な末路をたどった卒業生のことを延々と話し始めた。ある学生は部活を辞めて、さらに大学まで中退したという。また別の学生はレギュラーから外れて自暴自棄になって飲酒運転をし、交通刑務所送りになったそうだ。いままでどこに保管していたのかと呆れるくらい、岩下監督は残念な選手の例えをたくさん持っていた。陸上部に入部したばかりの四月、「大会で結果を残せたら、有名大学から推薦をもらえるぞ。自分の走りを大学から求められる。頑張ればそんな極上の報酬が得られるんだ」と声高に語っていたくせに……。

自分は楽に大学に進みたかったわけじゃない。いや、少しはそんな下心もあったかもしれないが、実績を評価されて入学したかったのだ。それがこの先の進路に繋がるとも信じていた。だが推薦入学が白紙に戻り、自分が無価値な選手になったことに気づかされてしまった。窓際の白いカーテンが、風に押されて右へ左へ揺れていた。ふいに行き場を失った澪二の心のようだった。

「先生おれ、病院あるんで失礼します」

勢いよく立ち上がると、右膝に鈍い痛みが走った。動作の初めは特に痛む。

「引き留めて悪かったな。手術、頑張れよ。部員たちもおまえの復帰を祈ってるからな」

そんなことあるわけないだろ、と心の中で毒づいた。誰がおれの復帰なんて願ってんだよ。澪二が離脱したことでレギュラーの席がひとつ空いた。同じ種目の部員は、それ以外考えていないだろう？　悔しくて笑い出しそうになり、頬の内側の肉を噛んでじっと耐える。

その日は練習には出なかった。

次の日も、その次の日も休んだ。部の規則では、故障者は別メニューで筋トレをしたり、マネージャーの仕事を手伝ったりしなくてはいけないのだが、それもサボった。でもそれを咎める者はいなかった。誰もなにも言ってこなかった。あの厳しい岩下監督でさえも。

それからは一度も練習に参加せず、手術の日を迎えた。

入院した初日に部内のグループＬＩＮＥで『大部屋だから、見舞いはなしで頼む』と送っておいたので、病室には誰も来なかった。

ただひとり、田宮健太を除いて。

「あっつ……」

あまりに熱くて目が覚めた。炬燵の赤外線で火傷しそうだ。嫌な夢を見てしまったと、目尻をぬぐう。忘れた頃にリバイバルする、最近では定番の悪夢。

十月のあの日から、果てしなく虚しい時間が澪二には流れている。

「喉渇いたな……お茶飲みたい」

誰も見ていないとはいえ、夢を見ながら泣いていたことが気恥ずかしくて、なんでもないように話してみる。炬燵で寝ていたせいか、喉がカラカラだった。

「人んちってこれが辛いんだよな。お茶一杯飲むのも苦労する」

居間から続く細長い台所に入り、コンロの上の薬缶に手を伸ばした。

コップを出してお茶を飲んでいると「水神」と書かれたお札の横に写真が貼ってあるのを見つけた。えらく古い白黒写真で、目を凝らすと若かりし日の祖父母だということがわかる。いつの時代の写真なのか。祖父は極道然としたサングラスをかけ気取っていて、おさげ髪の祖母はセーラー服を着ていた。祖父母の隣には見知らぬ若い男女が、はにかんだ様子で写り込んでいる。

「じいちゃんとばあちゃんの……青春か」

白黒なので見づらかったが、若かりし日の祖父は、気難しそうな顔つきが兄の聡に似ていた。祖母はふんわりした雰囲気が母に似ている。祖父と祖母が十歳違いだと知ってはいたが、まさか祖母が女学生の頃からつきあっていたとは驚きだ。この写真を見る限りでは、可憐な女学生が強面の男にナンパされたようにしか見えないけれど。

「もうこんな時間か」

壁に掛かる古時計が、午後八時過ぎを差していた。二時間近くも寝てしまった。炬燵で眠った体のだるさを感じながら、居間に置いていたダウンジャケットを羽織る。小便が漏れそうだ。祖父の家の便所は中庭にあるので、この寒空の下、外に出なくてはいけない。

寒風が吹き込む便所で用を足しながら、祖父はいつまでこの島で暮らすのだろうと思う。もともと祖父は東京の人で、会社社長を退くまでは都内で暮らしていたと聞く。母には二歳違いの妹がいて、祖父母と母たち娘二人、あと祖父の母親との五人で豊島区の目白にある邸宅に住んでいたそうだ。それが定年と同時に、祖母の故郷でもあるこの島に移り住んだ。「島で石の博物館を開くつもりだ」と言い出した祖父に、母たち姉妹はもちろん、祖母も最初は反対したという。だが祖父の想いは強く、都内にあった自宅を売却してこの博物館を建てた。

便所から出ると、澪二は中庭を横切って博物館のほうへと歩いた。博物館は祖父の自宅に隣接していて、中庭を隔てたところに位置する。正確な建坪を聞いたことはないけれど、少なくとも自宅の平屋の三倍ほどの広さはあるだろう。自宅は前の住人が暮らしていた古家をそのまま使い、博物館は除虫菊畑だった土地に建てたと聞いた。建設当初はこの島で一番新しく、それはそれはモダンな建物だったと。

だがその博物館も今年で開設二十三年目になる。夜目にはよくわからないが、あちこちらにがたが来ているんじゃないだろうか。窓から漏れ出る光を頼りに、澪二は博物館の裏手に回った。記憶が確かなら、建物の裏側に勝手口があったはずだ。あった、ここだ。ドアノブを回して押せば、鉄製の扉が軽々と開く。館内に一歩足を踏み出せば、そこは静寂な海の底だった。

ハート形の水晶。

氷砂糖のような岩塩の結晶。

青緑が閃光を放つエメラルド。

コーヒーゼリーの光沢を持つバナジン鉛鉱。

表面にビーズの煌めきをふりかけたミメット鉱。

宝石のように美しい石が、縦長のガラスケースに収められ、廊下の両側に展示されている。無音の館内を歩きながら、澪二はその懐かしい光景に息を呑んだ。

最後にここを訪れた三年前、その時は祖母の葬式に参列したので館内を覗くことはしなかった。だから自分に残る博物館の記憶は、もっと古いものなのかもしれない。幼い記憶の中に、祖父の博物館がこれほど立派だという印象はなかった。こんな言い方は失礼だが、定年退職をした祖父が私的に開設した博物館なのだから、そうたいしたものではないと思い込んでいた節がある。母が口癖のように「おじいちゃんの道楽よ」と言っていたから。

踏むたびにきゅっきゅっと軋む床を歩きながら、館内のどこかにいるはずの祖父を探す。そういえば昔、ここで聡とかくれんぼをした。メインの広間を含めて部屋は三つしかないのだけれど、それでもこの場所で遊ぶとわくわくした。隠れる場所は石が陳列してあるガラスケースの下か、黒いカーテンを閉めれば真っ暗になる小部屋だけ。すぐに見つかりそうなものだが、隙間にうまく体を埋め込めばそうやすやすと見つかることはなかった。呼吸を潜め、石になったつもりで兄の足音を聞いていたあの昂(たか)ぶりを思い出すと懐かしくなり、澪二は黒いカーテンの付いた小部屋に真っすぐ向かう。

黒いカーテンを開けて、澪二は小部屋に入った。中にはあの頃と同様に「紫外線で光る鉱物」が展示されている。

「たしかこの辺に、紫外線を照射するスイッチがあったような」

体を屈(かが)めてスイッチを入れれば、目の前の石が黄緑色や青緑色に光り輝く。これはマラヤ石と、蛍石。いまこの瞬間まですっかり忘れていた石の名前が頭に浮かぶ。

「紫外線の照射によって発生する光を、蛍光というんだ。蛍光灯も、カラーテレビのブラウン管も、実はこの原理を応用したものなんだぞ」

孫たちの前で自信たっぷりに話す祖父の声が蘇る。

小部屋の中には丸椅子が置いてあり、その椅子に座って光る石を眺めることもできる。小学生だった澪二は聡と一緒に、よくここで光る石を見ていた。祖母が移動販売で買ってきてくれたアイスを齧りながら、飽きもせずに。普段は目にも留まらない石がこんなふうに輝くなんてと不思議でしょうがなかった。

石だけが光を放つ小部屋で、澪二はダウンジャケットのポケットから携帯を取り出し、田宮健太から届いたＬＩＮＥを開く。『戸田へ』から始まる長文は、二週間前の全国大会の後に送られてきたものだが、まだ返信をしていない。

田宮は、澪二と同じ陸上部の三年生だった。中学まではサッカーをしていたらしく、陸上競技はフォームを作るところからスタートしていた。ほとんどの部員が経験者の中、持ち前の運動神経と持久力を武器に、こつこつと練習を積み上げ、少しずつタイムを縮めてきた選手でもある。どれほどきつい練習でも表情をいっさい変えない根性があり、部内では能面タミーと呼ばれている。

そんな田宮が、手術の前日にふらりと見舞いに来た。スポコン漫画と、上等そうなマスクメロンを持って病室に現れ、澪二を驚かせたのだ。

田宮は一時間近く病室にいた。だがたいして話をするわけでもなく、自分が持ってきた漫画の最新刊を読んでいた。そもそも、それほど仲が良かったわけではないのだ。こいつ、なにしに来たんだろう。澪二は黙々と漫画を読む田宮の横顔を眺めていたが、自分からはなにも聞かなかった。

「おれはこの三年間、亀だったんだ」

田宮がようやく口を開いたのは、澪二の病室の前に配膳車が止まった時だった。廊下にちらり目を向け、夕食時だと悟ったのか田宮がベッドに座る澪二に向き直った。

「おれはこの三年間、亀だったんだ。ウサギの背中を必死で追ってきた。速くて速くて最後まで追いつけなかったけれど、でも亀はウサギの走りが好きだったから、辛くはなかった。戸田はおれにとってウサギだ。決してサボらないウサギだった」

澪二に向かって田宮は言い放った。普段あまり本心を出さない田宮にそんなことを言われて、戸惑った。

「自分はいまここで陸上を終われないんだ。だからT大を受験しようと思っている。T大の陸上部でもう一度長距離を走り、次は必ずレギュラーを取って大学駅伝に出場する」

相変わらず能面のような顔をして田宮は続けた。でもいつもと少し違ったのは、澪二にもなにか答えてほしそうな、そんな間があったことだ。だが澪二は正直、「おれに言われてもな」という気持ちだった。こいつはバカなのかもしれない、とも思った。T大といったら陸上の名門校だ。それこそ小中高でエースを張ってきたエリート選手ばかりが集まってくるトップ校。澪二ですら、T大で必ずレギュラーを取るなんてことは、とても言えない。なのに高校から陸上を始めたばかりのおまえが通用するはずがないじゃないか。

だが田宮が帰ってからふと気づいたのだ。もしかするとあいつは、今日ここに澪二を励ましに来たのではないかと。推薦がだめになったことを誰かから聞いて、それで……。

あの目、本気だったたな。あいつはほんとにT大で長距離をやるつもりなのかもしれない。全身麻酔をかけられ意識が落ちる寸前まで、澪二は田宮のことを考えていた。

手術が無事に終わり、意識が戻ってからもずっと、田宮の言葉を頭の中で反芻(はんすう)し、そのうちに自分もT大を一般入試で受けようかと思い始めたのだ。

ウサギと亀。自分はずっとウサギだった。走ることが大好きなウサギだ。足を故障して「一回休み」になったけれど、怪我が治ったウサギはまた、誰よりも速く走れるはずだ。

田宮のおかげで光が見えた。

麻酔が切れて右膝に焼けるような痛みが戻ってきた時も、大声で叫びたいほど痛いリハビリも、田宮の言葉を思い出せば乗り越えられた。退院したらすぐに礼を言いに行こう。病室のベッドに横たわり天井を見つめながら、澪二はそう思っていた。

田宮、おれもT大を受けることにした。そう伝えに行こうと。

だが退院してひと月以上経ったいまも、田宮になにも言えないでいる。

十一月の駅伝予選で、田宮がレギュラーに入ったと知ってから、目も合わせられない。澪二が走る予定だった一区十キロには本下が抜擢され、田宮が五区の三キロを走ったと聞いた。チームは予選突破。東京代表として全国大会に出場し、田宮は全国の舞台でも五区の三キロを任され、八分三十八秒の成績を残して区間賞に輝いた。

チームも全国四位に入賞し、高校最後の駅伝は澪二なしに幕を閉じた。

「おれってほんと、だめな人」

澪二はスイッチを消し、椅子を元の場所に戻して小部屋を出る。おそらく祖父は奥の部屋で作業しているのだろう。電灯の細い光がうっすらと漏れてきている。

「じいちゃん」

奥にある二部屋のうち、小さいほうの一室に祖父はいた。部屋には理科の実験室に設置されているような長方形の白いテーブルが二台並べてあって、その前に座って作業をしている。

「なんだ澪二、休んでなかったのか」

ゆっくりと振り返った祖父が、眼鏡（めがね）を鼻先までずらし、見上げてくる。

「ちょっと寝たよ。でも目が覚めた」

そうか、とひと言口にしただけで祖父はすぐにまた作業に戻る。右手に五百円玉大の小さなルーペを持ち、左手に持つ灰色の石を凝視している。

「なにやってんの」

「いや、本土の子供が今朝この石を持ってきたんだけどな、なにで組成されているのか調べてるんだ。たぶん長石（ちょうせき）と魚眼石（ぎょがんせき）だと思うんだが」

「明日リニューアルオープンなんだろ？　そんなことしてて間に合うの」

「う……ん。でもこの石も展示してやらないと、がっかりするからな」

時々はここに本土の小学生たちを招き、石についての講義をしているのだという。その中にひとりだけ、本気で石に興味を持った男の子がいて、その子がしょっちゅう石を拾い持ち込むのだと祖父は話す。拾った場所と組成を調べていけば、石のルーツがわかる。せっかく船に乗ってやってくるのだから教えてやりたいのだ、と祖父は嬉しそうだ。

「じいちゃん、これなに？」

記憶にない木の箱が、部屋の隅に置いてあった。

「ああそれか。ちょっとした仕掛けだ。横にスイッチがあるだろう」

「ああ、これか」

「点けてみなさい」

「あ、すげえ。なんだこれ」

水槽ほどの大きさの木箱を上から覗き込めば、いくつもの石が深い井戸の底まで落ちていくように見えた。もとはたったひとつ、なんの変哲もない石が木箱に置いてあるだけなのに、スイッチを点けると石が連なって落下していくように見える。

「マジックミラーを利用して作ったんだ」

「へえぇ。おもしろい。子供にはウケるよ、絶対」

スイッチを点けたり切ったりパチパチやっているところに、

「澪二」

祖父が改まった声を出す。祖父のこうした物言いには、憶えがあった。大事ななにかを告げる時、祖父は畏(かしこ)まった話し方をする。多くのことを忘れてしまっても、そういう記憶だけは不思議と残っている。叱られるのかもしれないと、澪二は思った。自分がうたた寝している間に母から電話があって、受験を放って逃げ出したのがばれたのかもしれない。母は祖父のことを「普段は優しいけれど、ずるをしようものならこっぴどく叱られた」と時々口にする。それは一介の平社員から社長にまで昇り詰めた祖父を語る言葉として、昔から耳にしてきたものだ。

「なに？」

澪二は身構えた。

「おまえ、足が悪いのか」

「え……」

「引きずってるだろう、右足を」

「ああ、これは……。右膝の前十字靭帯(じんたい)ってのを断裂したんだ。それで先月、膝の手術をした」

「手術を……したのか。佳澄からは聞いてないぞ」

「そんなたいした手術じゃないよ」

「治るのか？　また元通り、歩けるようになるのか」

「治るよ。また普通に歩けるし、走れるようにも……なる。たぶん」

「本当か。……ならよかった。それにしても佳澄はこんな大事なことを、どうしてわしに黙ってたんだろうな。見舞いにも行ってやれず、すまなかった」

祖父が律儀に頭を下げ、心配そうに眉をひそめる。

「心配させたくなかったんじゃない？　お母さん、そういうところあるから。それに見舞いっていっても、じいちゃん、島から出ないだろ」

　祖母が亡くなってからというもの、母は祖父に対して「博物館を閉めて、東京に戻ってきたら」と説得を続けている。なのに祖父は首を縦に振らず、決して島を出ようとはしない。

「おまえの大事なら別だ。いつでも東京に戻るさ」

「ふうん……。東京が嫌いでこっちに来たわけじゃないのか」

「生まれ育った町だ。嫌いなわけないだろ」

「じゃあどうしてわざわざこの島に来たの？　東京でも小規模な博物館なら開けたんじゃないの？　目白のじいちゃんの家って、百二十坪ほどあったって聞いてるけど。なにか理由でもあるの」

「理由か……」

　祖父が手に持っていたルーペをテーブルに置いて、ゆっくりと立ち上がる。丸まっていた背中を伸ばすと、澪二とほぼ同じ、百七十八センチほどの背丈になった。昔の人にしては大柄なほうだろう。祖父は澪二の前を通り過ぎ、部屋の中央に据えられた、館内で一番大きなガラスケースの蓋を開けた。そして陳列してあった石の中から黄色っぽいのをひとつ取り出すと、宝石を扱うような仕草でガラスケースの上に載せる。

「澪二、これは琥珀というんだ」

「琥珀なら知ってるよ」

「そうか。中国の言い伝えに、虎を捕獲した時、その頭があった場所を闇夜に掘ると琥珀が出てくるというものがあるんだ。つまり、琥珀は虎の視線に込められた魂で生成された石、という意味だ。琥珀は、わしがこの世でいっとう好きな石だ」

祖父が昔の話をしてもいいかと訊いてきた。

澪二は近くにあった椅子に腰かけ、「いいよ」と頷く。祖父がこんなことを言ってくるのは初めてのことで、少し緊張した。祖父は澪二のすぐそばに椅子を持ってくると自分も座り、琥珀に視線を置いたまま口を開く。

祖父の語りは澪二が初めて聞く、おそらく母も知らない五十年以上も前の話だった。

＊

八十三年も生きていたら、さぞかしたくさんの記憶が蓄積されているのだろう。おまえたち若者はそう思うかもしれない。だが不思議なことに、歳を重ねれば重ねるほど、頭に留まる記憶は少なくなってくるもんでな。これは実に奇妙なことだが、過去を思い出そうとすると、あれほどいろいろな経験をしてきたはずなのに、同じことばかりが頭の中に浮かんでくる。

そんな、いまとなっては数少ない大切な記憶の中から、わしが大学生だった頃の話をしようと思う。岡山で送った大学時代のことはいまも色褪(いろあ)せることなく、おそらくこの先も決して消えずに、記憶の真ん中に留まっているはずだとわしは確信している。

だがわしが死んでしまったら、もう語られることもないだろう。だから、誰かに話しておきたかった。

澪二、今日おまえが突然島に現れたのは、偶然ではないのかもしれないな。

城山栄一よ、そろそろおまえの人生も終わりに近づいてるぞ。その大切な記憶を、誰かに伝えておいたほうがいいんじゃないか。

島の八幡様がそんなふうに、おまえをここに呼んだのかもしれないな……。

わしが大学に入ったのは一九六三年、二十八歳の時だった。いまから五十五年前のことだ。

佳澄から聞いて知っているかもしれないが、わしには父親がいない。いや、もちろん生まれた頃はいたんだが、わしが八つの時に南方で戦死してな。葬式は出したが骨は戻ってこなくて、初めは死んだことが信じられなかったよ。それからはずっと、母親と二人きりの暮らしだったんだ。

父親が戦死した家庭などあの時代は珍しくもなかったし、遺族への恩給もあって、正直なところ当時の自分がそれほど貧しい暮らしをしていたとは思っていない。いや、あの頃はどの家庭も同じくらい貧しかったんだ。わしは高校を卒業してすぐに就職したんだが、級友のほとんどがそうだったから別段なにも不憫(ふびん)には思わなかった。中卒で働く級友も珍しくなかったんだ。そんなもんだと思ってた。むしろ一日でも早く世の中に出て、働いて、寿司屋の女給をしていた母親を楽にしてやりたかった。

高校を卒業したわしは、都内にある紙製品工業の会社に就職した。紙製品というだけに紙でもの作りをしているのだろうとは思っていたが、就職当時は会社のことをろくに調べもしなかった。勤務地と給料だけ聞き、高校の担任に勧められるまま就職したんだ。

誰もがそんなもんだったよ。親や親戚の口利きで働き先を探すか、あるいは学校から紹介してもらうかのどちらかだった。幸いなことに就職先には困らなかった。集団就職、金の卵という言葉が巷(ちまた)に溢れていた時代だったからな。一九六〇年代から巻き起こる高度経済成長の原動力となる若者を、多くの企業が欲しがっていたんだ。

幸運なことに、高度経済成長のうねりに乗って我が社も右肩上がりの業績を上げた。やがて当時五十代だった社長は注文通りに作った既存の商品を供給するだけに留まらず、新しい技術を駆使した自社製品の開発にも力を入れるといった方針を打ち出したんだ。一代で会社を立ち上げた社長は、驚くほど頭の切れる人でな。他社と同じような製品を作っていたのではいずれ頭打ちになる。そんな危機感を常に持っていた。もちろんあの頃はデジタルという発想まではなかっただろうが、社長は紙を扱う業界が低迷した時のことをいち早く考えていたんだ。

――どうだ城山、おまえ、いまから大学に行く気はないか。

そんな社長がある日、そう言ってわしに声をかけてきたんだ。

自分のデスクの前で、母親の作ってくれた弁当を食っている時だった。初めはただの冗談だと思ってたな。社長は時々、若い社員に「どうだ最近。なにかおもしろい話を聞かせてくれよ」と直接声をかけてくることがあったから、またその手の軽い声がけだと思ったんだ。

ところが、その時の言葉は本気だった。会社が軌道に乗ったいま、人材の育成に力を注ぎたい。優秀な新入社員を獲得するのはもちろんだが、就職戦線においてはどうしても大手他社には負けてしまう。だから自分は考えたのだ。自社の社員を、さらに大きく育てたらいいのではないか。数回の面接で採用を決めなくてはいけない新人ではなく、働きぶりも人柄も知り尽くした我が社の有能な社員に、会社の未来を託すほうが得策ではないか。社長はそんなことを、わしの前でとうとうと語り続けたんだ。

――城山、おまえはまだ二十七歳だ。これから受験勉強をして大学に進め。遅くはない。

まだ二十七。もう二十七。澪二、おまえなら二十七という年齢をどう感じる？　その時のわしは、社長の言う通りだと思った。

――おれはまだ二十七歳だ。

胸の奥のほうから熱いものが立ち上った。まだ二十七。だがおそらくこれは、最後のチャンスだ。その場で「行かせてください」と答えていたな。

その時までは自分が大学に進むなど、一度たりとも考えたことがなかった。人は、手に入らない夢は見ない。たとえ一瞬見たとしても、じきに忘れる。わしが高校を卒業した頃は、男ですら二割強程度の大学進学率だったんだ。母子家庭で育ったわしにとって、大学進学などは見果てぬ夢だった。

そんな夢を叶えてくれるというのだ。わしはがぜん張りきった。仕事はもちろんそれまで通りに、いや、普段以上に力を注ぎ、だが仕事を終えるとすぐに帰宅して机に向かったよ。高校までの成績は悪くなかったんだ。むしろ、大学に進んだ同級生より良かったくらいだ。自分は高校を卒業したら働きに出なくてはならない。だから学生でいられるうちに、できる限り学びたい。そんな切羽詰まった気持ちでやってきたからな。偉いか？　いやわしだけじゃないさ。みんな同じだったよ。あの頃の子供は必死だった。女子なんかは特にな。たとえ学校で一番優秀な女の子でも、家計を助けるために、上の学校へは進まず働いた。そんな時代だったんだ。

社長に話をもらったのが二十七歳の春だったから、それから受験勉強を始め、翌年の春に第一志望の国立大学の理学部化学科に合格した。わしは三月生まれだったから、合格発表の日と誕生日が同じでな。あれほど嬉しかった誕生日は、生涯でただ一度だろう。社長も喜んでくれてなあ。会社の朝礼で社員みんなが万歳三唱をしてくれた時は、涙が止まらなかった。戦時中に聞いた万歳三唱の大声が思い出されて、よけいに胸が詰まった。

大学は岡山にあったから、社長は授業料だけではなく下宿代も出してやると言ってくれた。母親は「ありがたい」と毎日のように仏壇の父親の写真に手を合わせてたな。夢が叶うという幸せを、親子で嚙みしめていた。夢を持ち、叶えることは簡単ではない。だから一度夢をつかんだ人間は、その夢を手放さないために懸命に努力をするんだ。

そんなふうにして、わしの大学生活は始まった。

ひとり暮らしも、東京から出るのも、あらゆることが初めてづくしでな。とにかくなにもかもに戸惑っていた。地元の岡山弁や、多くの学生たちが口にする関西の言葉にもなじめなかった。いまのようにスーパーやコンビニで惣菜が買えるわけでもなかったから、自炊も面倒でしょうがなかった。

だがなにより辛かったのは、自分が同級生より十も年齢が上だということだった。八十三のじいさんと七十三のじいさんではそうも変わらないだろうが、二十八と十八では、なにもかもが違う。

わしはいったん社会に出ていたから、どうやっても同級生が幼く見えてな。無意識に彼らを見下している自分がいたんだ。いや、本音をいえば、若い学生に脅威を感じていた。大学生という身分をなんなく手に入れた、彼らの生い立ちに嫉妬していたんだ。

卑屈な気持ちを見透かされたくない。その一心で、わしはしだいに同級生を遠ざけるような態度を取っていた。言動や目つきも嫌味なものになっていたのだと思う。当たり前の結果だが、五月の半ばくらいにはもう、わしに言葉をかけてくる同級生はいなくなってな。大教室の一番後ろの右端がわしの定位置だったが、そばに座る学生は誰もいなかった。道端の、それこそ石ころみたいな存在に城山栄一はなっていたんだ。

そうなると大学に通うのが苦痛になってきた。辞めたい。辞めて、会社に戻りたい。まだ入学して二か月ほどしか経っていないのに、そんなことを考えるようになった。大学に合格した直後の昂揚感なんぞ、すっかり消えてしまってな。もちろんそう簡単には辞められない。会社の未来を背負ってここまで来たという自負もある。だから自分に鞭をふるいながら授業に向かったさ。

いま思い返しても、人生で一番きつい時期だった。

そんな時、東京で暮らしていた母親に病気が見つかったんだ。

母親は気を遣って連絡してこなかったが、「入院して手術を受けるそうだ」と親戚が電話をよこしてな。それでわしは電話をもらった翌日に、東京に戻った。母親の病気は子宮癌だった。幸い早期発見だったので、手術をすれば治るとのことだった。母親は手術を終えて麻酔から目を覚ますとすぐに、「早く岡山に戻りなさい」と言ってきた。あんたには大切な使命があるだろう、こんなことで何日も大学を休んだりしちゃいけないよ、と。

だがその時のわしはもう、大学へ戻る気持ちは完全に失せていたんだ。明日にでも会社に戻りたいくらいの気持ちだった。

だが退学するにしても手続きがあるだろう。それでわしはいったん、岡山に帰ることにしたんだ。東京に半月近く留まっていたせいか、大学に戻るとそれまで以上に孤独を感じたな。講義を休んでいたわしに、声をかけてくる者はやっぱりひとりもいなくて……。

　ここまでひと息に話すと、祖父は、

「澪二はピンク・レディーという二人組の歌手を知っているか。ひと昔以上前の歌手だが」

　と訊いてきた。

「ピンク・レディー？　知らないなあ。それって外国人？」

「いや、日本人だ。こんな太腿丈の短いスカートを穿（は）いてダンスを踊りながら歌う、女の子たちだ」

　おもむろに椅子から立ち上がると、祖父は自分の手を太腿の付け根に当て、腰を左右に振ってみせた。

　そんな剽軽（ひょうきん）な祖父を見るのは初めてのことで、澪二は大口を開けて笑ってしまった。しんとした館内に二人の笑い声が満ちる。

　ひとしきり笑い合ったところで、祖父がまた椅子に腰かけ、ふと肩の力を抜く。

「そのピンク・レディーの曲に『透明人間』というのがあってな。構内を歩くわしは、まさに透明人間だった。誰もわしを見ようとしない。実際に、見えていなかったんだろう。みんな忙しそうで楽しそうで、大教室の片隅で不機嫌な顔をしている三十近い男のことなど、相手にしたくもないわな」

　ちょうどその時期、大学に入って初めての試験が控えていて、誰もがその準備に追われていたんだ。教科も多かったしな。前年は白紙の答案用紙が配られ「周期表をすべて記せ」なんて問題も出たとかで、百人近くいた一年生は、誰もかれも試験の対策で必死だった。だがわしは必死になるどころか、逆に気持ちが冷めていくばかりでな。試験を受けずに大学を辞めようと決めたんだ。どうせ辞めるなら無駄な労力を使いたくないからな。

そう決めると大学の講義にも出る気がなくなった。朝が起きられずに遅刻したり、授業がつまらないからと早退したり。それまでずっと持ち続けていた会社や母親への罪悪感も、しだいに薄れてきていた。時間というのは不思議なもんだぞ、澪二。なんの目的もなく生きていると、時間は無制限にあるような気になってくる。どうやってつぶせばいいのかと、厄介なものにさえ思えてくるんだ。その頃のわしは、生きていることが面倒に感じるようになっていた。いまなら鬱病と診断される状態だろう。もっともあの時代にそんな病名は知らなかったがな。

「この琥珀の持ち主、真鍋竜生（まなべたつお）に出会ったのはちょうどそんな時だったんだ」

祖父は手を伸ばし、ガラスケースの上に置いていた石を手に取った。祖父の手のひらの上で石が黄色く光る。

真鍋は同じ化学科の一年生だった。歩く時にほんの少し、人が気づくか気づかないくらい右足を引きずるんだ。いまのおまえのようにな。金持ちの子息なのか、いつ見ても真っ白な開襟シャツに仕立てのいいズボンを穿いていた。もちろん入学してから一度も言葉を交わしたことはなかったんだが、足のことが目についてなんとなく知っていたんだ。

　あれは、七月に入ってすぐのことだったよ。蒸し暑い日でな……。晴れの多い岡山に、珍しく朝から雨が降っていた日のことだ。

　わしはあの日、午前中の講義に顔を出し、途中で居眠りしつつ大教室の片隅に座っていたんだ。いいかげん退学の手続きをしないといけないなと思いながら、それすら億劫でな。講義が終わって学生たちが教室から出ていく後ろ姿を、ただぼんやり眺めていた。そんな時に、「城山さん」と背中から声をかけられた。

　大学に入って初めて、同級生から名前を呼ばれたんだ。何ごとかと思ったよ。振り向くと、見覚えのある線の細い青年が、笑みを浮かべて立っていた。

——これ、よかったら使うてくれや。

　青年は屈託ない笑みを浮かべ、手に持っていたわら半紙の束をわしの目の前に差し出した。手に取ると、それは講義の板書を写したものだった。

——なんだ、これは。

——講義ノートの写しじゃよ。

——違う。おれが訊いてるのは、どうしてきみが講義ノートをおれに渡すのかってことだ。

施しを受けることには、幼い頃から慣れていた。国の恩給で育ってきたんだ。現にいまも会社からの援助で大学に通えている。ただこんな、名前すら知らない若者から施しを受ける覚えはない。わしは思いきり顔を歪め、わら半紙の束を突き返した。

——いらないよ。

——二週間も休んどったから、困っとると思うて。欠席中のノート、持っとるんですか。

——おれにはもう、講義ノートなんて必要ない。辞めるんだ、大学。つまらないし、時間の無駄だと判断した。辞めて会社に戻る。

言いながら、このまま事務局へ行って退学の手続きをしようと決めた。ずるずると手続きを引き延ばしていたからこんな目に遭ったのだと、心底自分が嫌になった。

——大学を辞める……。

青年は一瞬怯んだが、「でもせっかくだから」と笑顔を作り直し、わら半紙の束を机の上に置いた。

——これは自分のノートを写したものじゃけん、戻さんでもええよ。

青年の言葉にわしはなにも返さずに、意地悪く顔を歪めたまま前を向いていた。

そして青年が教室を出てしばらくしてから、わしは立ち上がった。講義ノートはそのまま置き去るつもりだった。ここから真っすぐ、事務局に向かうつもりでいた。

だがそのわら半紙の束に、手を伸ばしてしまったんだ。

「なんで？」

澪二は思わず訊いていた。プライドの高い祖父のことだ。この展開でノートを受け取るなんて考えられない。

「なんでかって？」

祖父が両目にぐっと力を込めた。とっておきの話を聞かせる時に見せる、祖父の得意の表情だ。

「わら半紙の上に、この琥珀が置いてあったからだ。重し代わりに置いていったんだろうが、なんてきれいな石なんだと、しばらく見惚れてしまった。結局わしは、この青年にもらった講義ノートを使って、大学に入って初めての試験をやり過ごした」

それが真鍋との出会いだったと祖父は笑い、指先で琥珀をそっと撫でる。

その一件があってから、真鍋はわしを見かけると、

――城山くん。

と声をかけてくるようになった。

本音をいえば、真鍋竜生の存在はとてもありがたかった。構内で言葉を交わせる相手ができたんだ。昼時に顔を合わせると、「飯に行こう」と誘ってくることもあった。だが生活費をぎりぎりまで切り詰めていたわしにとって、たとえ学食でも贅

沢だった。ひとり暮らしのアパートは大学から歩いて十分の場所にあったから、昼飯も飯を炊いて、ふりかけや梅干しをおかずに家で食べるようにしていたんだ。

ただ何度か「金がないから」と真鍋の誘いを断ると、あいつはわしに食券をくれるようになってな。大学近くにある『銀杏食堂』という食堂の食券だ。向こうから飯に誘ってくる時は必ず、その百円分の食券を一枚、渡してくれるんだ。カツ丼、親子丼が一杯九十円、ジュースやサイダーが四十円の時代だった。

わしは喜々として食券をもらったよ。真鍋が食券の綴りからわしのぶんを一枚切り離すのを見ながら「これで一食分の金が浮いた」「まともな飯が食える」とほくそ笑んでな。

この頃は素直に、真鍋をいい奴だと思うようになっていた。親切な男だったから他の学生にも慕われていたのに、なぜかわしのところに寄ってきてな。わしにしても他に友人がいるわけじゃないから、いつしか真鍋といる時間が長くなっていった。うちの四畳半ひと間の下宿にも泊まりに来た。あいつは親戚だかの家に間借りしてるらしくて、わしが遊びに行くことは一度もなかったがな。

そんな真鍋が大学一年の夏休み、「一緒に旅をしないか」と誘ってきたんだ。鉱山をめぐって石を採集するとか言ってな。

祖父は再び椅子から立ち上がると、博物館の中をゆったりと歩いた。そしてある一角で足を止めると、澪二に向かって「これだこれ」と手招きをする。そのコーナーには日本の鉱山に関する資料が並び、ガラスケースの中には赤鉄鉱（せきてっこう）、黄銅鉱（おうどうこう）といった表面に煌めきのある石が陳列されていた。

「これは岩手県の和賀仙人（わがせんにん）鉱山で拾ったものだ。ここにある赤鉄鉱なんかは、道路から五分ほど山に登った辺りに転がってたんだがな」

真鍋から旅に誘われた時はまだ、大学を辞めようという気持ちが残っていたのだと祖父が微笑む。前の試験は真鍋の助けで乗りきったものの、このまま大学でやっていけるか自信がなかった。勉強への意欲も薄れていた。家計に余裕があるわけでもないのに、この年齢で大学に入ったことが間違いだったと後悔していたのだ、と祖父は話す。

だから、「旅をしないか」という真鍋の誘いに乗った。会社に戻る前に一度だけ、長期休暇というものを味わってみたいと思ったのだ。自分は小学生の頃からずっと働いてきた。新聞配達、アイスキャンデーの売り子、ボタン工場でのライン仕事……。学校が休日の時に働くものだから、友達とゆっくり遊んだことなど一度もなかった。働き詰めの人生だった。これからの人生も働き続けることになるだろう。だから一度くらい休暇を取りたかったんだ。最初で最後の休暇を。

「それでわしは大学を辞めるのは休み明けにして、この夏は長期旅行とやらをしてみようと決めたんだ。真鍋はその年、東北の鉱山をめぐると決めていた。山岳部の同級生にテントと寝袋を借りて、福島の和久観音山鉱山、秋田の荒川鉱山、青森の尾太鉱山と、野宿をしながら鉱山から鉱山へ、わしらは渡り歩いたんだ」

——なあ真鍋、おまえはどうしてそんなに石が好きなんだ?

鉱山近くの山林で野宿をしていた夜、訊いたことがある。

当時真鍋はまだ十八だったのだ。それくらいの年頃なら、石よりも女を追いかけているほうが楽しいものだろう。わしにしても二十八だったんだ。なにが嬉しくて男二人で石を掘り歩いているのかと、急にばからしくなってな。

わしの問いかけにあいつは、

——この自然の中で光るのは、石と星だけじゃ。星は手に入らんけど、石はこの手で触れることができる。

と返してきた。星が光っていることはもちろん知っていたが、「石が光る」という答えに、世界の秘密を教えてもらったような気持ちになった。よくよく考えてみればダイヤモンドも、ルビーもサファイアも石なんだ、と。

「これは新しい企画なんだ、濤二」

壁に掛かる『宮沢賢治の表現』と横書きされたパネルを、祖父が指差す。

「石の博物館に、なんで宮沢賢治？」

「おまえは宮沢賢治を知っているか」

「『雨ニモマケズ』の人だろ。あと『走れメロス』だっけ？」

「『走れメロス』は太宰治だろうが」

「おれ、国語は苦手だから」

「まあいい。それより賢治だ。澪二、おまえは宮沢賢治の文学には鉱石がたくさん登場するってことを知ってるか。たとえば『春と修羅』にはトッパース。トッパースというのは黄玉のことだがな。『風の又三郎』には琥珀が出てくるし、黄水晶、柘榴石、瑪瑙といった多くの鉱物が他の作品にも描かれている。鉱物をこれほど豊かに作品に織り交ぜた作家は賢治くらいではないかともいわれてるてな」

「ふうん。じいちゃんは博学だな」

「いや、本当のことをいえばわしも、真鍋に教えてもらうまで宮沢賢治など読んだことがなかった。どんな本を書いたかさえ、知らなかったわ」

　祖父が腰を屈め、ガラスケース越しに石を見つめる。

「宮沢賢治に限らず、わしは大学に入るまで小説というものを読んだことがなかった。音楽も映画も演劇も美術も……わしの人生には教養を身につける暇がなかったんだ。その夜、宮沢賢治を読んだことがないというわしに、真鍋が『銀河鉄道の夜』という物語を聞かせてくれた。あいつはずいぶんたくさん本を読んでいてな。他にもいろいろな話をしてくれたよ」

これを見てみろ、と祖父が言うので視線を向ければ、祖父の手のひらに白い突起が目立つ石が載っていた。蛍光灯にかざせばチラチラと煌めく。

「きれいだな……」

「緑水晶（みどりすいしょう）だ」

「これもどこかで採集してきたの」

「これは秋田の荒川鉱山の沢に落ちていたものだ。初めはこんな色だったんだぞ」

祖父が指差す箱の中には、黄土色のなんの変哲もない石があった。祖父の説明によるとこの黄土色の石を塩酸に二度、硝酸に二度浸し、その後洗剤で洗えば美しい緑水晶になるのだという。新しいものを創るということは、なんでもない景色から緑水晶を見つけ出すことに似ていると祖父が頷く。

「澪二、おまえはわしの最後の仕事を知ってるか」

「知ってるよ、ペーパーストーンだっけ？　前に聞いた」

ペーパーストーンとは、石で作られた紙のことだった。石灰石から抽出した炭酸カルシウムが原料になっているので破れにくく、水にも強い。質感も滑らかで、いまは扇子やブックカバー、屋外で使うメモや紙袋などに商品化されていると以前祖父から聞いたことがある。祖父が石灰石に着目した時、すでに海外で研究が進んでいたらしいが、日本では祖父の会社がいち早く商品化したのだそうだ。

「木材を原料にして作る紙と比べて、ペーパーストーンの製造過程では二酸化炭素の排出が少ないんだ。水も化学薬品も必要ないために、水質汚染や土壌の汚染も防ぐ。もちろん森林伐採もない。多少のコストはかかっても、地球の資源を守るための未来的な商品だとわしは自負している」

「すげえな。石なんて硬くて古いもんが好きなくせに、じいちゃんの頭ん中はいつも柔らかくて新しい。会社のトップに立つ偉い人はそういうもんだって、うちのお父さんなんかはいつも言ってるけど」

「わしの発想はすべて、真鍋と旅をした夏の日に繋がっているんだ。あの長旅でわしという人間は変わった。どこがどう変わったかと問われると難しいが、真鍋が持つ世界の豊かさに圧倒されたんだ。大きな衝撃を受けた時、良くも悪くも人は変わるもんだ」

祖父はそこまで話すと満足そうに息を吐き、壁に掛かる時計に目をやった。

「長い話を聞かせたな。澪二、年越しそばを食べに家に戻るぞ」

祖父の視線を追って時計を見れば、短針と長針が重なりそうだった。あと十分で今年が終わる。

「おまえは炬燵に入ってなさい」

自宅に戻ると、祖父はそのまま台所に入っていった。澪二は電気ストーブと炬燵の電気を点けた後、祖父の後について台所に立つ。

「おれも手伝うよ」

台所は狭くて、男二人で立つといっぱいになってしまう。昔は小柄な祖母がひとり、この場所で忙しく動き回っていたっけ。

「じゃあ冷蔵庫に密封容器があるから出してくれるか」

コンロに雪平鍋をかけながら、祖父が言ってくる。そういえば、祖父が料理をするところを初めて見た。

「じいちゃん、料理なんてできんの」

「結婚するまで母親と二人暮らしだったからな。母親は夜も働いていたから簡単なものならなんでもできるぞ。今日は大晦日なもんで、近所の人から手打ちそばを分けてもらったんだ。鰹出汁（かつおだし）も取ってある。さっき島の漁師に分けてもらったタチ貝も出そう」

「タチ貝？」

「貝柱のことだ。好きだったろ？」

タイル張りの古い台所に、甘辛い鰹出汁の香りが満ちてくる。澪二にとっては懐かしい香りだ。

「この写真、じいちゃんとばあちゃんだよね」

さっき見つけた写真を指差すと、祖父が葱を刻んでいた手を止め壁に目を向ける。

「よくわかったな。五十年以上前の写真だぞ」

「だって、じいちゃんは兄貴に、ばあちゃんはお母さんにそっくりだし」

「そうか、そっくりか」

「これさ、隣に写ってる人たちは誰なの」

祖母と同じセーラー服を着ているので、少女のほうはおそらく祖母の友達なのだろう。

「ああ、この男が真鍋だ。女の子のほうは、真鍋の細君になった人だ。つまり、未来の夫婦同士が一枚の写真に写ってるというわけだ」

「ダブルデートってことか」

「いや。その写真は、わしが真鍋の実家を初めて訪れた時に撮ったものだ。真鍋とあいつの細君は同じ島の出身だったから、偶然浜辺で出会ってな。ばあさんはたまたま島に遊びに来てただけだ。真鍋の細君とばあさんは、高校の同級生だったもんだから」

この写真を撮った時、ばあさんはまだ十八歳だった。まさか後々結婚することになるとは考えもしなかった、と祖父が目尻の皺を深くする。

そばが茹で上がると、祖父は出汁を入れた器に盛りつけ葱を散らした。湯気が立つ器を澪二が居間まで運び、炬燵の天板の上に並べる。

「よし、食うか。まさか澪二と年越しそばを食べられるなんて、思いもしなかったな」

向き合って座った祖父が、満面の笑みを浮かべる。澪二は祖父ほど屈託なく喜べなかったが、同じように笑いながら「いただきます」と手を合わせた。

「じいちゃん、真鍋さんの実家にも行ったんだね。鉱山めぐりの旅で仲良くなったの?」

鰹出汁の染み込んだそばは、澪二に空腹を思い出させた。そういえば朝も昼もパンしか食べていなかったので、温かいものが喉を通るのは今日初めてのことだ。

「そうだな。あいつの実家に招かれたのは、鉱山めぐりの旅から戻ってすぐの盆休みだった。東京には帰省しないと言ったら、だったらうちの島に来ないかと誘ってくれたんだ」

「真鍋さんてどこの島の人?」

「ああ。ここじゃないが、真鍋の故郷も瀬戸内に浮かぶ小さな島だ。今日おまえが多度津港から乗ってきた船があるだろう? 船が次に向かった島が、真鍋の故郷だ。

五十五年前のわしと真鍋も多度津港から船に乗って、島に向かったんだ。わしが暮らしていた東京の町に海はなかったから、目の前に迫る蒼い海がとても新鮮でな」

　船のエンジン音。風の音。波の音。白波を立てながら前へ進む船の上で、自分の心が無になっていくのを感じたと祖父が両目を閉じる。

「海を見ていると、他人とはなにも比較しないでよかった。自分は自分でしかない。船の上で風に吹かれながら、わしはそんなことを考えていた。そう思うと無性に大声を出したくなって、わしは甲板の上から『海は最高だ！』と叫んだんだ」

「じいちゃんが叫んだの？」

「ああ。真鍋もびっくりしとったわ」

　そして船は、真鍋の家族が暮らす小さな島に到着した。

「船から島に下りたとたん、わしは自分が大きな誤解をしていたことに気づいたんだ」

「大きな誤解って？」

「わしは真鍋のことを、裕福な家庭で何不自由なく育った坊ちゃんだと思ってつきあっていた。品もいいし、とにかく人に親切で」

「違ったの？」

「たしかに真鍋は豊かな暮らしをしていた。でも裕福というのとは、少し違ってた。

真鍋の親父さんは、漁師だった。おふくろさんは親父さんと一緒に船に乗りながら、島内で郵便配達の仕事もしていると聞いた。海辺の集落にあった真鍋の実家は、青い屋根瓦の小さな平屋でな。玄関から一番奥の部屋の中が見えるほどの広さだった。わしが寝泊まりさせてもらったのは四畳半の奥の部屋だったが、家中の話し声は筒抜けだったしな」

その夜の晩ごはんを、自分はいまでも忘れていない。タチウオの刺身、アオリイカの天ぷら、カレイの南蛮漬けに麦みそのみそ汁……。息子の友人をもてなすために真鍋の親父さんとおふくろさんは早朝から漁に出かけ、腕によりをかけた料理を食卓に並べてくれた。どれもこれもうますぎて涙がこぼれてきた。自分は真鍋竜生という男に助けられ、その両親にもこんなによくしてもらい、どうやってこの恩を返せばいいのか。そう思うと無性に泣けてきてな。だがその場ではなにも言えなかった。ただ「うまい、うまい」と飯をかき込むだけで、精一杯だった。

「夕飯の後、真鍋と二人で海まで歩いたんだ。家は海辺にあったから、ほんの二、三分の距離だがな。二人で海を眺めながらとりとめのないことを話し、その時初めてわしは自分の話をしたんだ。八歳の時に父親が戦死して、母親と二人で生きてきたことなんかをな……」

――真鍋、おまえの故郷はいいところだな。

海から吹いてくる風には匂いがあるということに、驚いていた。思えば海水浴に行ったことなど一度もなかった。

——海しかないところじゃけど。

——いや。いいところだ。それにしても鉱山めぐりは疲れたな。もうこりごりだ。

途中から自分も夢中になって石を拾っていたくせに、その時はなぜかそんなことを口にした。

——つきあわせて悪かった。じゃけど城山がこの夏いっぱいで大学を辞めるって言うから、最後にどうしてもと思ったんじゃ。

もともと声が大きくないのに、海から吹く強い風が、真鍋の声をかき消した。

——そうだ。おまえ、どうしておれにノートを見せてくれたんだ？　いまさらだけど。

——試験前だったからじゃよ。

——それだけでか？　おまえは本当に人が好いな。

——いや、それだけじゃない。ぼくは城山のことをすごいと思っとったから。

——おれが……すごい？

——二十八歳で大学受験するなんて、そうそうできることじゃない。入学式の時にきみを見た時から、友達になりたいと思うとったんじゃ。

手ぶらで家を出たので、真鍋は石を拾ってはズボンのポケットに入れていた。海辺の砂地には時々珍しい石がある。子供の頃はいい石を探しに、毎日のように島を歩いていたのだと真鍋が足元を見つめる。

――ぼくは昔から、ひとりで石を拾って遊んでたんじゃ。この石はどこから来たんじゃろう。そう考えると、大きな世界を覗いた気分にもなれたんじゃ。

大学を卒業したら理科の教師になろうと思っとる、と真鍋が拾った石を夕陽に透かし呟いた。幼い頃から体が弱く、親に漁師は無理だと言われてきた。自分には姉がひとりいるが、岡山にある学生服を作る会社で働いている。姉は中学を出てからは会社の寮に入っていて、家に仕送りをし続けている。両親と姉は自分の将来を思い、「勉強を続けたらいい」と大学に行かせてくれた。だから家族に恩を返したい。島から通える学校で、理科を教える。それがいまの自分の目標なのだと真鍋は海を見つめる。

――食券を……。

――食券?

――悪かったな。おれ、おまえにしょっちゅう飯を奢らせて……。

――ああ、そんなこと。まとめ買いしてたくさん持っとったから。あそこの食堂、大量に買えば買うほど割引率が高くなるんじゃよ。

真鍋の両親が命を張って海に出て、姉さんが縫子をして、それで仕送りをしていた金で自分はタダ飯を食っていた。真鍋の家には金が余っているのだろうと思い、さほど感謝もしていなかった。申し訳ないと思った。ひたすら情けなくて、その時の自分は真鍋の顔を見られなかった。水平線に視線を伸ばし、海を見るふりをしていた。

「この話を聞いたすぐ後、真鍋の細君がばあさんを連れて砂浜にやってきたんだ。部活の帰りだとかで夏休みなのに制服を着ててな。二人とも真っ黒に日焼けしていて、焦げパンみたいだった。真鍋が実家にカメラを取りに戻って、浜辺で記念写真を撮ったんだ。ばあさんのことはよく喋るおもしろい子だな、という印象くらいしかなかったな、その時は」

　真鍋の実家から岡山の下宿に戻ると、自分の中から大学を辞めようという気が失せていた。憑き物が落ちたように、きれいさっぱりなくなっていた。自分の弱さを受け入れた時に初めて、人は強くなれる。祖父はそう口にすると澪二を見て頷き、かすかに笑った。

「澪二、手が止まってるぞ。早く食べないと、せっかくのそばが伸びてしまう」

　器の端に口をつけ、ぬるくなった汁をひと息に飲み込んだ。芳ばしい醤油の甘みが鼻を抜ける。器の出汁汁を最後まで飲み干すと、澪二は手を合わせて「ごちそうさま」と箸を置いた。祖父の人生にそんな危うい日々があったことを初めて知り、いつも自信に溢れてみえたその顔が、いままでとは少しだけ違って見えた。

「よし澪二、わしは作業の続きをしてくるからな。空の器は流しに置いといてくれ」

炬燵の天板に両手をつき、祖父が腰を上げる。

「まだやるの？　ちょっと休んだら」

「いや、時間がない」

器と箸を流し台に運ぶと、祖父はすぐさま部屋を出ていく。時間がないのなら、リニューアルオープンの日を延期すればいいんじゃないだろうか。もう夜中の一時前だというのに、いまからなにをするというのか。張りきって改装したところで、元旦早々、こんな離島の小さな博物館に客など来ないだろう。そんなことを頭の中で考えながら、澪二は炬燵を這い出た。居間の電気を落とし、氷のような廊下を歩いて玄関口に下りる。あたたかい部屋にいたせいか、中庭に出ると、ずいぶんと気温が下がっているような気がした。

「さっむー」

白い息をわざと大きく吐き出しながら空を見上げると、夜を忘れるくらいの無数の光があった。

きれいだな。

澪二は子供のように星に見惚れる。白い星に意識を吸い取られそうになりながら、ポケットに手を入れて携帯を取り出した。田宮から届いた『戸田へ』で始まる長文が、青白い光とともに画面に表示される。

戸田へ
おれ本当は、高校でサッカーするつもりだったんだ。

でも入学式の翌日、グラウンドでおまえが走っているのを見た。誰よりも早く入部して先輩たちについて走り続けてた。

なに考えてるんだろ。

とてつもない速さでトラックを回るおまえを見ていると、走り続けるその目でいったいなにを見ているのか、そんなことが気になった。

苦しそうで。でもすごく気持ちよさそうで。おれも同じ場所に立ってみたいと思った。この二年と九か月、亀の歩みでおまえの背中を追ってきた。戸田はおれにとってウサギだ。決してサボらないウサギだ。卒業まで陸上を続けられたのはおまえのおかげだ。

感謝してる。

T大でおれは箱根に出たい。受験勉強、苦しいけど頑張ろう。そしてまた一緒に走ろう。


こんなに真っすぐな言葉をもらったというのに、自分は田宮になにも返せないでいる。田宮から、受験から、陸上から、大事なことから全部逃げ出してこの島にたどり着いた。

「おれってほんと、だめな人」

ふがいなさに目の奥が熱くなる。泣きたいのを必死でこらえた。冬に流す涙はきっと、氷のように冷たい。


中庭を横切り、博物館に向かう。

裏口の扉を開けて館内に入っていくと、奥の部屋から白い光が漏れていた。祖父はさっきと同じ場所に座り、ルーペを片手に夢中で作業を続けている。集中しているのか、澪二の足音にも気がつかない。

「じいちゃん、おれもなんか手伝うよ」

「ああ澪二か。あのまま休んでいればよかったんだぞ。疲れてるだろ」

「大丈夫だよ。それより、このペースで開館までに間に合うの？　そんなにきっちり開館日時を決めなくても延期すればいいじゃん」

「それはできない。過去に来館してくれた人には案内状を発送してるんだ。予定通り開館させないとな」

必死に欠伸（あくび）を嚙み殺している自分とは違い、祖父の瞳は爛々（らんらん）と光っている。人は肉体が衰えても目の光だけは老いない。祖父を見ていて、そんなことを気づかされる。

「なにやったらいい？」

澪二は作業机の前に腰かけた。

「澪二、おまえ、パソコンは使えるか」

「一応使えるけど」

「じゃあ悪いが、ここにある手書きの解説文をパソコンで打ち直してくれないか」

「これ全部？」

解説文の文字はところどころ薄く掠(かす)れ、消えて読めなくなっている箇所もある。上から黒ペンでなぞるつもりだったと祖父は言い、そんなことをしていたらどれだけ時間がかかるというのか。

黄玉、琥珀、硫黄(いおう)、猫目石(ねこめいし)、虎目石(とらめいし)……。まずは黄色い鉱物群の解説文を、ワードを開いて打ち込んでいった。それにしてもずいぶんたくさんの分類があるものだ、と作業の合間に手を伸ばして石を眺める。

ルビー、赤水晶、柘榴石、薔薇輝石(ばらきせき)……次は赤い鉱物の解説文。

不思議なもので、石なんてなんの興味もなかったくせに、こうして目の前で見つめているうちに自分の好みのものがわかってくる。澪二は金緑石(きんりょくせき)の変種、アレキサンドライトが気に入った。「宝石の王様」と呼ばれるほどの神々しさに加え、祖父の解説文によると、太陽光下では青緑色に、蛍光灯下では赤色に見えるのだという。この石を太陽に透かしてみたいという欲求が、ふいに生まれる。

「なんだ澪二、金緑石が気に入ったのか」

祖父は黒い正方形の箱から金緑石を取り出し、蛍光灯の光に透かしてみせる。

「ばあさんもアレキサンドライトが一番好きでな。だからこの石を婚約指輪にしたんだ」

いとおしそうに金緑石を眺めるその顔は、澪二が小さい時から見慣れたものだ。石のなにがそんなにいいのかしらねぇ。母はしょっちゅうそんなふうに言っているが、こんな幸せそうな顔を祖父にさせる石は、やはり価値のあるものなのだと幼い頃から思っていた。

「じいちゃんはいつ、ばあちゃんと再会したの？」

「再会したのはわしが三十四の年で、ばあさんが二十四だった。初めて会ってから、六年ほど経ってたな」

島で顔を合わせたきりそれから一度も会うことはなく、再び姿を見たのは真鍋の結婚式だったと祖父が話す。

「式にはわしも招待されててな。内々の小さな式だったから、大学時代の友人はわししか出席してなかった。久しぶりに会ったあいつの両親や、初めて会う姉さんと酒を酌み交わし、いま思い出しても楽しい結婚式だった」

島内にある小さな公民館で執り行われた披露宴では、出席者ひとりひとりにマイクが回ってきて、スピーチをした。みんな酔いが回っているものだから、ストップをかけるまで延々話し続ける親父さんの漁師仲間や、マイクを持ったままうとうとし始めるばあさんなんかもいて、場内は笑いの渦に包まれていた。

「スピーチの最後は真鍋のおふくろさんでな。おふくろさんは、真鍋が二歳の時に小児麻痺(まひ)を患った話をしたんだ。あいつの右足が不自由なのは、その時の後遺症で右足が拘縮(こうしゅく)したからなんだと、わしはその時に初めて知ったよ。中学の制服、高校の制服、大学生になって新調した何本かのスラックス。息子のズボンの丈を右足だけ三センチ裾上げするのが、自分の大切な役目だったとおふくろさんは話した。その役目を、今日からお嫁さんに託したい。おふくろさんはそう言って泣いてな。『息子をどうかよろしくお願いします』と腰を折るおふくろさんを見ていると、わしも涙が止まらなくなった。斜め前に座っていた娘さんが『どうぞ』とハンカチを貸してくれたんだ。それがばあさんだった。六年前に海で会った焦げパンが、色白のきれいな娘になって、わしの前に現れたんだ。それはもう運命だと思った」

祖父は少し照れくさそうに、その日のうちに交際を申し込んだことを教えてくれた。その半年後には結婚を申し込んでいた、と。

「十(とお)も年下のばあさんが、まさかわしより早く逝ってしまうとはな……」

祖父が小さく息を吐き、金緑石を黒い小箱に戻した。

澪二が目を覚ますと、窓からうっすらと光が入ってきていた。早起きした海鳥たちの鳴き声も聞こえてくる。

「……いま何時だろ」

昨夜は、居間から続く六畳の和室に布団を敷いて眠った。隣には祖父が寝ていたのだが、もう起き出したのか姿がない。おそらく作業の続きをしに、博物館に向かったのだろう。澪二は祖父から借りたパジャマを脱いで、昨日着ていた服に着替えた。暖気がないので裸になると全身の毛穴がぎゅっと縮む。

中庭に出ると、冬の朝の張りつめた空気が服の隙間から流れ込んできた。「おお」と思わず声が出るほど寒い。こんなに寒い、しかも元日の早朝に働いている人など、祖父以外にいるのだろうか。なにげなく空を見上げれば、まだ星が残っている。でも光沢はなく、白い点だ。いまにも消えそうな心もとない光。瞬きをしている間にも、星は空に吸い込まれそうだった。

裏口の扉を開けると、奥の部屋から光が漏れていた。思った通り作業を始めている。

「じいちゃん、あけましておめでとうございます」

しんとした館内に声が響く。

「おお澪二か。あけましておめでとう。ちゃんと休めたか」

「寝たよ。じいちゃんこそ、いくらも眠ってないだろう」

「いや十分だ。それより澪二、おまえがいてくれて助かった。わしひとりじゃ、とても間に合わなかった」

段ボール箱を運ぼうとしていた手を止め、しみじみと言ってくるので、

「その箱、おれが運ぶよ」

と祖父が移動させようとしていた箱を代わりに手に取った。中にはガラスケースに並べる黒の小箱が重ねられていて、その小箱ひとつひとつに石が収められている。

「この赤い石はなんだっけ?」

「それは薔薇輝石だ。きれいだろう。高倍率の顕微鏡で見ると〇・五ミリから〇・三ミリくらいの放散虫(ほうさんちゅう)のぶつぶつが見えるぞ。見てみるか」

「いや、いまはいい。いちいち手を止めてたら、まじで間に合わないよ」

「じゃあその箱はこの隅に置いてくれ」

引っ越し屋のアルバイトさながら、祖父の指示に従ってきびきびと動いた。祖父だけがわかる秩序で、あるべき場所に収まった石たちは、ひっそりと静かにその存在を光らせている。

「いつも疑問に思ってたんだけど、どうしてここ、元旦から開館するの? 正月くらい休んでも罰(ばち)当たらないいって」

　澪二が中学に上がる前までは、祖父母の家で新年を迎えることも何度かあった。でも祖父は元旦から博物館を開けていたので、一緒に島の八幡神社に初詣に出かけたことがない。それをいつも不思議に思っていたのだ。

「元旦は午前十時の船に乗って真鍋の家族が来ると決まってるからな。それはこの博物館が開館した年からずっと続いている、新年の行事なんだ」

　今年の元旦も真鍋の息子が東京からやってくる。今回は初めて妻や子供たちも連れてくると言ってきた。だからどうしてもリニューアルを間に合わせたかったのだと祖父が頷く。

「へぇ、東京に住んでるんだ。ならじいちゃんの親友の真鍋さんも、いまは東京で暮らしてるってことか」

　若い頃の祖父を助けてくれた人。瀬戸内の島で漁師の息子として生まれた、生真面目で優しい理科教師。祖父と同様に、いまは引退してのんびりと暮らしているのだろう。

　だが澪二がそう訊くと、祖父は動作を止めて、

「真鍋竜生は来ない。あいつはいまから三十八年も前に亡くなったからな」

　とガラスケースの上に視線を落とした。

「真鍋さん……死んだの」

「ああ、三十五の時にな。大型台風がこの辺りを襲った年に突風に煽（あお）られ、海に落ちたんだ。漁船を桟橋に固定する作業を手伝っていた時だったそうだ」

訃報を知らせてきた真鍋の細君が、「不慣れなことをしたもんじゃから」と繰り返し呟いていた。あいつにはまだ八つの息子がいて……遺体は結局見つからなかった。

祖父はとぎれとぎれに言葉を繋ぎ、澪二に背中を向けるようにしてガラスケースに両手をついた。後ろから見るとケースの中を眺めているようにも見えたが、涙をこらえているのだろう。祖母の葬式の日も、祖父はこんなふうに家族に背を向けていた。

天井の蛍光灯が館内を白く照らしている。祖父はこれまでどんな思いでこの博物館を続けてきたのだろう。もう会うことのない親友になにを語りかけていたのか。

澪二は静まり返った館内に視線を移した。壁に沿ってガラスケースが置かれ、ローズクォーツ、スノーフレーク・オブシディアン、碧玉（へきぎょく）、ソーダライト、白瑪瑙（しろめのう）、と見たこととも聞いたこともない美しい石が並んでいる。静寂しかないこの場所に祖父と二人きりでいれば、石たちの息遣いが聞こえてきそうな気がした。

「息子の名前は毅（つよし）と言ってな」

祖父が再び話し出すのを澪二は黙って見守っていた。どうしてか祖父とこんなふうに話をするのは、今日が最後のような気がしていた。

「真鍋の葬式の日、毅は空っぽの棺(ひつぎ)の前でじっと正座をしていたよ。涙も流さずな。だが気がつくと姿がなくて、わしは慌てて外に探しに行ったんだ。そしたら毅は、桟橋の上に立っていた。桟橋の先端で、海を見ていた。『ここでなにしてる』と訊くと、『とっちゃんと話しとる』と返ってきた。あまりに早く逝ったもんで、とっちゃんにありがとうを言えなかったから、とな」

おじさんもだ、おじさんもきみのお父さんにありがとうを言いそびれた、おじさんには十分な時間があったのに、それなのにたった一度もお礼を言えなかったんだ——。隣に立つ毅があまりにか細く頼りなくて、こんな小さな子供を置いてあいつは逝ったのかと思うと悲しくて、祖父はそんな言葉を口にしながら泣き崩れてしまったと話す。それまでずっと耐えていたのに、八歳の子供の前で、涙が止まらなかった。

「おじさん、うらのとっちゃんは海におるよ」

海を前にむせび泣く祖父に、毅は手に持っていた石をひとつ、手渡してくれた。

「こうしてとっちゃんと話すんじゃ」

言いながら、毅が自分の手にあった石を海に落とした。石はゆらゆらと揺れながらも真っすぐに海の底へ沈んでいく。自分も同じように石を落とし、「真鍋、ありがとうな」と両手を合わせ、感謝の言葉を海に手向けた。

それから祖父は毅と二人で海を眺めていたのだという。先の台風が幻だったかのように天気のいい日で、波の間から金色の光が弾けていた。風が吹くと波の形が変わり、光も揺れた。

「ここにある石のほとんどは、真鍋のものだ。あいつの細君が譲ってくれてな」

売れればひとつ何万円もする高価な鉱物もあったから、初めは固辞していたのだ。だがどうしてもと乞われ、断れなかった。

「あいつの形見を譲り受けた時、わしは細君と両親、それから毅に『石の博物館を開く』と約束した。いつか必ず博物館を開設するから来てほしいと伝えた。博物館を真鍋竜生の詣り墓だと思ってほしいとな」

約束を果たせたのは真鍋が亡くなって十五年以上月日が経ってからだったが、真鍋の家族は博物館ができてからは毎年、この隣島に足を運んでくれるようになった。成長した毅の姿を見るとただただ嬉しかった。昨年の二月に九十五歳でこの世を去った真鍋の親父さんは、亡くなるひと月前にもここへ来て、懐かしそうに石を眺めていた……。

「じいちゃん？」

ガラスケースに体を向けたまま、祖父が突然話を止めた。その背中に悲しみなのか安堵なのか、澪二にはわからない感情が満ちていく。

「悪いな澪二。退屈な話を聞かせたな」

「退屈なんかじゃないよ……全然」

「声をかけてくれたこと、飯を奢ってくれたこと、旅に連れ出してくれたこと、実家に招いてもらったこと……最近よくあの頃のことを思い出すんだ。自分にとって親友と呼べる男は、生涯あいつだけだったからな」

夢に出てくるのだと祖父は言った。真鍋がこのところしょっちゅう夢に現れる。夢の中のわしは嬉しくなって、言いそびれた言葉を伝えようとその手を取る。だが言葉が声になる直前に、あいつは消えていなくなるんだ。「その繰り返しだ」と祖父は寂しそうに笑いながら、ガラスケースに顔を寄せた。澪二も祖父の隣に立ち、ガラスケースの中の石を見つめる。

十八歳の真鍋が、二十八歳の祖父に手渡した琥珀。五十年以上の歳月を経てなおこの石は、祖父の胸の真ん中で光り続けている。

「人生は短いぞ、澪二。今日一日を限界まで生きろ」

自分を奮い立たせるように声を張り、祖父が顔を上げた。配置図を片手にガラスケースを点検して回る。展示物の並び方が正しいか。解説パネルは正しい位置に掲げられているか。ひとつひとつ入念に確認していく祖父の双眸(そうぼう)から弱々しさは消え去り、いまはまた強い目に戻っていた。歳を重ねても輝きを失わない鉱石の瞳だった。

リニューアル作業はいよいよ最終段階に入っていた。

「じいちゃん、おれ、正面玄関掃いてくるよ」

館内の掃除をひと通り終え、塵取りを使ってゴミを集めて捨てた後、澪二は正面ホールへと向かった。ホールには来客者に記入してもらうための台帳が、小さなテーブルの上に置いてあり、ページを繰ると岐阜、京都、東京、名古屋……全国各地から来客があるのがわかる。

その中に「真鍋清次」「真鍋百合子」「真鍋毅」という名前を見つけた。日付は一月一日、いまからちょうど一年前のものだ。

玄関の鍵を開けてゆっくりとドアを開けると、早朝の冷たい空気が全身を包んだ。澪二はそのまま外に出て、まだ薄暗い東の空に目を向ける。

玄関の門扉を抜けて、家の前の道に出ていった。手にしていた箒を外壁に立てかけ、石垣と石垣の間の細い道を進む。視界の開ける場所まで歩くと、少し先に海が見えた。波音に誘われるように細道を進んでいく。坂道を下るにつれて縦長だった海の景色が横へ横へとのびていくのが楽しくて、澪二はひと息に堤防までたどり着いた。

目の前に果てしない海が広がっている。

澪二は時間をかけて堤防を乗り越えると、すぐ先にある一文字に降り立ちその先端まで歩いた。風に吹き飛ばされないよう一歩一歩、踏みしめるようにして。

一文字の先端から眺める海は、陸地から見るのに比べてずいぶんと大きく蒼く見えた。沖合の風が、澪二の体を吹き抜けていく。澪二の弱さを嬲るように、風が次々に吹きつけてくる。だが澪二は風に対峙するように両足をしっかりと踏ん張り、三十八年前の祖父と毅がそうしたように海を見ていた。

ダウンジャケットのポケットから携帯を取り出し、凍える指先で田宮からのLINEを開ける。早朝の波音は昼間よりも近く耳に届き、澪二を励ます。

澪二は画面に『ありがとう。おれも頑張るわ』と打ち込み送信した。

わずか数秒ほどの時間が長く感じ、波の音が高く低く澪二の耳に届く。晴れやかな気持ちでしばらく画面を見つめていたが、澪二が送ったメッセージはなかなか既読にならなかった。

「まあ寝てるわな、普通」

携帯をダウンジャケットのポケットに戻し、海に顔を向けた。空の色が刻一刻と薄くなっていく。濃い藍色の絵具を水で薄めたように、空が白く滲んでいく。

田宮にLINEを送ってから数分後、メールの着信音がポケットから聞こえてきた。誰だ、と取り出して見ると母からで『あけましておめでとう』という言葉の後に、『おじいちゃんから電話もらいました。お母さん言いすぎました、ごめんね』

から始まる長文が続いていた。
じいちゃんにはかなわない……。
あの人の強さと大きさを、いつか自分は越えられるだろうか。
いつしか東の空に昇っていた朝陽が海を照らしていた。波間を漂うその白い光を、
澪二はしばらく眺めていた。

来た道を戻り、博物館のすぐ近くまで来て足を止める。思わず声を上げそうになったのは、博物館の正面玄関にさっきはなかった大きな黒い影が見えたからだ。

澪二は目を細め、その黒い影を凝視する。熊か猪か。野獣であればこれ以上接近するのは危険だと思い、息を潜めて影の正体をうかがう。

「あ……」

だが正面玄関の前にいたのは、獣ではなかった。冬山に登るようなぶ厚い上着を着込んだ男が二人、地べたに腰を下ろし談笑している。多度津港を六時五十五分に出る始発のフェリーに乗って、やってきたのだろうか。

澪二は外壁に立てかけておいた箒をリレーのバトンのように右手に握りしめ、右足を引きずりながら裏口まで走った。

客だ。

客が、来てくれたんだ。

こんな朝早くから、開館するのを待ってくれている。

裏口のドアを開けて飛び込むと、澪二の足音が館内に響き渡った。

「じいちゃん！　じいちゃん！」

「どうした澪二、そんな大声を出したら近所迷惑に……」

困惑顔の祖父が、奥の部屋から現れる。

「じいちゃん、お客さんが外で待ってる！　二人も！」

澪二の言葉に、祖父は口を半分開いたまま棒立ちになった。

立ち尽くしたまま、澪二の顔をじっと見つめ返してくる。

「そう……か。そうか澪二。だったら急ぐぞ。開館時間を繰り上げるぞ。準備が整いしだい、開館だ」

視線を交わし、笑顔で頷き合う。

澪二は館内の隅に積んであった残りの段ボール箱を裏口に移動させ、祖父は配置図を手に最後の確認をしていく。段ボール箱を抱えて運んでいる途中、ふと誰かがこちらを見ているような気配を感じた。

振り返ると、四百個もの鉱石が眩（まばゆ）い光を放っていた。

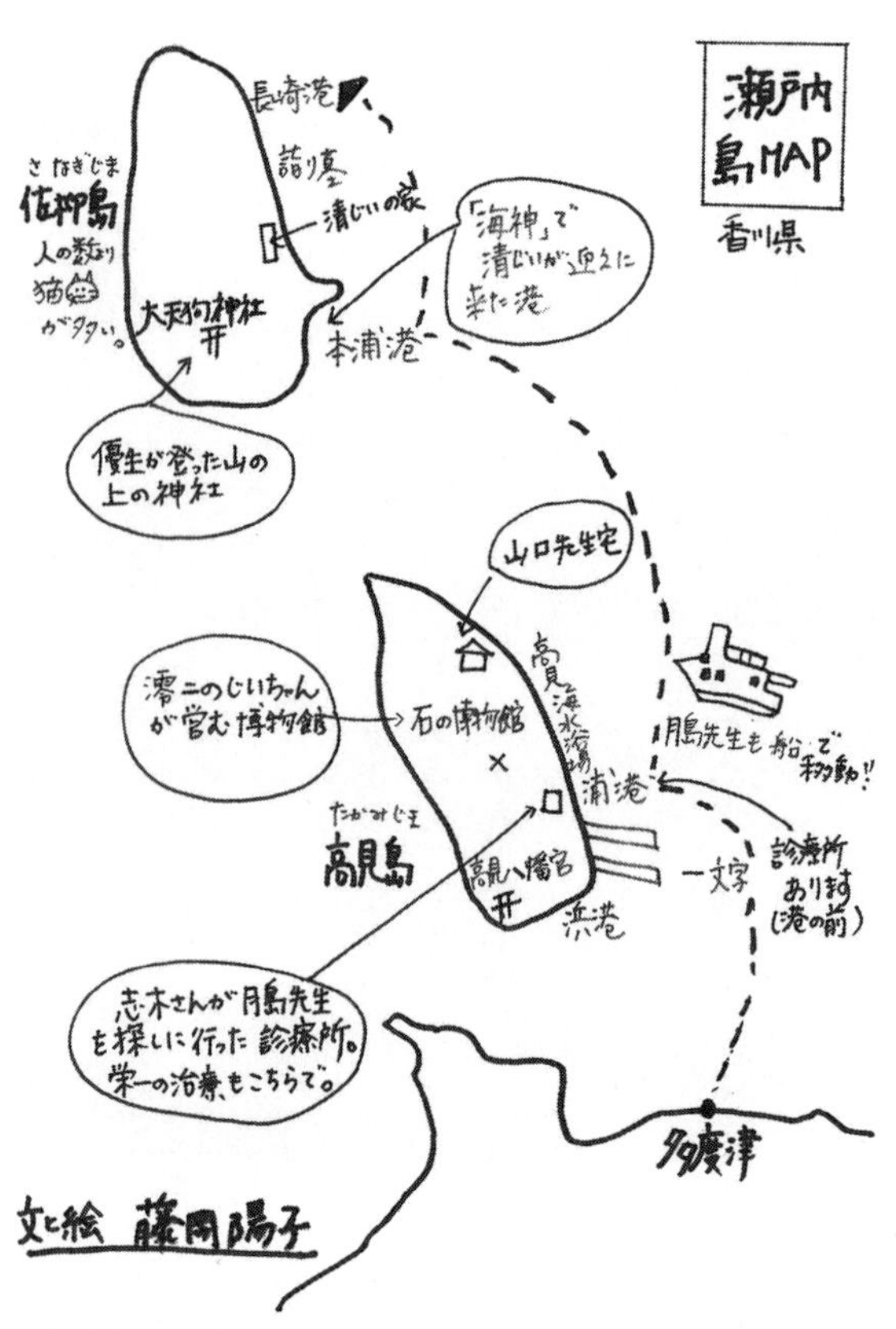
瀬戸内島MAP
香川県
さなぎじま
佐柳島
人の数より猫が多い。
長崎港
詣り墓
清じいの家
「海神」で清じいが迎えに来た港
大天狗神社
本浦港
優生が登った山の上の神社
山口先生宅
高見海水浴場
澪二のじいちゃんが営む博物館
石の博物館
月島先生も船で移動!!
浦港
たかみじま
高見島
高見八幡宮
一文字
診療所あります(港の前)
浜港
志木さんが月島先生を探しに行った診療所。栄一の治療もこちらで。
多度津
文と絵 藤岡陽子

〈解説〉長く読みつがれていく作品

きむらゆういち

ボクは絵本作家である。

今までに小説の解説などほとんど書いたことがない。

〝なぜこのボクが？〟初めはそう思ったが、本著を読み進めていくうちにだんだんとその意味がわかってきた。

この『海とジイ』という小説は三話のオムニバスで成り立っているが、その三話には共通するテーマがある。

それは〝消えていく命が次の命に伝えたい大切なことは何か〟ということである。

この普遍的なテーマこそ絵本にも共通するテーマでもあるのではないか。

その説明をする前に、この小説を読んでまず驚いたことを書こうと思う。

実はボクは本を読むのが嫌いだ。

単純にめんどうくさいからである。文字がびっしり書いてあってぶ厚い本を見ると〝読むのに一年はかかるな〟と思ってしまう。そのくせ書いた本は一年に十冊以上、今までに七百冊以上出版しているのだから書いた本の数と比べていかに読まないかがわかる。そんなボクが、この本を読み始めたら、どんどん引き込まれるように読み進み、いつの間にか読み終わってしまったのである。

それもこの作品には、スカッと胸のすくようなヒーローも、思わず涙なしでは語れないエピソードも、笑いをこらえるのに苦労するようなネタもないのである。一見どこにでもあるような地味で目立たない主人公が、淡々と日常を送っている。それなのにだ。この本嫌いのボクを引きずり込んで、最後まで離さず、魅了したのはいったい何だこれは？　そう思ってあらためて読み直してみた。

もちろんそのひとつは作者の実力である。思わず読む人を引き込む文体、登場人物たちの緻密(ちみつ)な性格設定、目の前で本当に展開しているように思わせる風景描写。どれをとってもみごとである。

そのうえで一貫して共通しているテーマが帯の言葉にもあるように〝わたしは何をのこせるだろう〟である。

人間にとって、いやそれまでにそれなりに生きてきた命にとって大切なもの。それはお金や土地や名誉や成功のノウハウでもない。本当に残したい大切なものって何？

次の命に残したい普遍的な言葉。いや言葉にすることができないから、これだけのページ数を使って書いたストーリーなのである。そこから感じさせるものって何？　普遍的なものだからこそ、それがこの小説の大きな魅力になっている。

この普遍的なテーマについての話は後で述べるとして、話は変わるが、絵本と小説の違いって何だろうと常々思っていた。

同じ文章の作品なのに絵本と小説では大きな違いがあるのだ。

一般的には、「小説は大人のもの。絵本は子どものためのもの」ということになる。子ども向けで短いのなら、私にも書けるかもと思われる方も多いようだ。

ところが、実際にその世界に入ってみると中々奥が深いのである。

もちろん誰にでも描けそうな絵本もあるし、とても普通の人間ががんばっても書けそうにない小説もある。

でも実際絵本を描いているボクに言わせると、絵本の方が出版後の展開が面白い。

その①　絵本は読んでから買う。

小説は中々書店で立ち読みはできないが、絵本は必ず買う前にパラパラと見る。園などで先生に読みきかせしてもらった子どもが、内容は知っているからこそ欲しくなって買う場合もある。大人向けのミステリーなど、一度読んで犯人がわかってしまったのに、わざわざまた本屋さんで同じ本を買う人は少ないだろう。

その② 何度も読む。

もちろん小説でも気に入って何度も読み返す本もあるだろう。しかし絵本は同じ絵本を子どもにせがまれて何度読まされることだろう。間違えて読むと、子どもに直されるくらい子どもの方が暗記していることもある。さすがにこれくらいくり返し同じ本を読む小説は少ないだろう。

いったいこれはなぜ？ ボクははっと思った。絵本は音楽に近い要素があるのではないか。音楽は気に入ったら何度も聴く。一度聴いてしまっても好きな曲だと思ったらダウンロードして自分のものにする。つまり内容を理解するために読むのではなく、絵本は味わうのだ。音楽も自分が好きな曲を何度も聴くのは味わうためなのだ。

その③ 絵本は長く売れる。

小説は一度にどっと売れる。大ベストセラー小説ともなれば、本屋さんがその本を入荷するのに苦労するくらいひっぱりだこ。ところが数年後、同じようにその本が売れているかというと、そうではない。

しかし絵本は違う。

ボクの知っている限りでは、発売三十年から五十年ものがいくらでもある。

ちなみにボクの〝あかちゃんのあそびえほんシリーズ〟も二〇二三年で三十五周

年。〝あらしのよるにシリーズ〟も二〇二四年で三十周年である。

なぜ？　とボクは考えた。ひとつは読者が子どもだから、川の流れのように読者が新しくなっていくから。

そして子どもの頃読んで気に入った本を、親になって、また自分の子どもに与える。

つまり買う客が常に入れ替わっているから同じ本でも売れ続ける。

しかしそれは子どもという読者に関してはそうだが、『１００万回生きたねこ』のようにほとんど大人が買っていく絵本もある。

こういった本はどう説明したらよいか。

ボクの考えた結論はこうだ。

ひとつは、絵本は文章量が少ない。その分を絵で補っているからだが、文章が書かれていない残りの半分は、読者が自分で頭の中で補っているからではないか。つまりその時代の読者がそれぞれ残りの半分を作っていたら、その本が古くならない。

もうひとつは、普遍的なテーマを象徴的に書いているから古くならない。なぜならそのテーマは人間の本質に繋（つな）がるからだ。そして象徴的だから時代によって変わる生活様式に左右されない。

もちろんすべての絵本、すべての小説がそうだと言っている訳ではない。

さて、本書に戻ろう。

この『海とジイ』の魅力を、普遍的なテーマを描いているからだと書いた。なぜ普遍的かというと、すべての生き物は、みな何かを残したいのだ。

子孫への遺伝子はもちろん、作家は作品を、ネコは自分のつめあとを、それぞれに自分の生きた証しを、自分の存在を、誰かの記憶に残したい。

それぞれの人生で大切なもの。その人にしかわからない大切なもの。数や量や大きさのような物質的なものではなく、また単なる言葉ではなく、その人の人生だからこそ伝えたいもの。それが相手にとってどう伝わるかはわからないが、必ずある思い。

第一話『海神——わだつみ』は不登校になっていた少年に〝なくした心の強さ〟を。

第三話『波光——はこう』では、ケガで夢を中断された少年に、自分と親友との間の友情が残してくれた思いを。

そして一番悩んだのが第二話の『夕凪——ゆうなぎ』だ。

この医師はいったい何を残したかったのだろう。

ボクは、月島医師と志木さんが最後に島に残って、残った人生の時間を一緒に過して欲しいと願って読んでいた。だがそうではなかった。月島医師は自分なりに最期を一人で迎えるという意思を曲げなかった。そう、力道山は「強いまま逝った」のだ。

先生は彼女に残った時間を前向きに強く生きて欲しい、弱さを持っているけれどそれでも強く生きようとしている自分の生きざまを見て欲しい、と言いたかったのかもしれない。

とにかく、三人三様の人生が残されたものの心に残る。それは人を前向きに変える思いだ。

いったいボクは誰に何を残したいのだろうか。そんな思いを考えさせられる作品だ。そしてもうひとつこの作品の大きな特徴、〝海とジイ〟なのである。そう、〝海と〟。作者のこの海とのこだわりはいったい何なのであろうか。街とジイ、山とジイではなく〝海と〟とはどういう意味か。

読み返してみると、海がそれぞれ違う顔を見せている。

第一話〝海神〟では荒れた海だ。

ある台風の日に三十五歳の男が駆り出されて、海は恐ろしい顔を見せる。

〈本文引用〉

息子の体が弓のようにしなり大きな弧を描いて海に落ちていくのを、自分はすぐそばで目にした。「絶対に離すな」と言われていたロープを腹の上できつく握りしめたまま、息子は渦巻の中に沈んでいった。突風で飛ばされたのだ。

誰も助けようのない、一瞬の出来事だった。

そして第二話〝夕凪〟では包み込むような大きな海。

〈本文引用〉

海を見ている間は、この世に不幸せなことなどないような気がした。よどんだ思いも寂しさもすべて呑み込むほどの大きさがあった。夏場なら観光客でにぎわっているだろう砂浜も、いまは私しかいない。波の音しかないこの場所に座っていると、自分という形がなくなり、心だけで生きているような錯覚に陥る。人が自然を求めるのは、形になる前の自分、無意識の自分を引き出してくれるからかもしれないと思った。

そして先生の言葉に次のセリフがある。

〈本文引用〉

「人が自然を好む理由が、ここへ来てわかった気がします。人は人に対して繕うのであって、自然の中では繕う必要がない」

そして最後の第三話〝波光〟ではとうとう海と会話までしてしまう。

〈本文引用〉

「おじさん、うらのとっちゃんは海におるよ」

海を前にむせび泣く祖父に、毅は手に持っていた石をひとつ、手渡してくれた。

「こうしてとっちゃんと話すんじゃ」

言いながら、毅が自分の手にあった石を海に落とした。石はゆらゆらと揺れながらも真っすぐに海の底へ沈んでいく。自分も同じように石を落とし、「真鍋、ありがとうな」と両手を合わせ、感謝の言葉を海に手向けた。

みごとな表現である。

つまり、この作品に出てくる海は観光で行ったときに見える景色ではない。人間と共に生きる海なのだ。

そうか、だんだんわかってきた。海という舞台設定は、まさに二十万年の人類の普遍的なストーリーを物語るのにこれ以上ない場所なのだ。

時代とともに生活様式が変わらない海だからこそ語られるエピソードの数々。

ボクはこの〝絵本の持つ良いところ〟を兼ね備えた小説が、ロングセラー絵本のように長く読みつがれていく作品であると信じている。

（きむら　ゆういち／絵本作家）

―本書のプロフィール―

本書は、二〇一八年十一月に単行本として小学館より刊行された同名の作品を文庫化したものです。

小学館文庫

海とジイ

著者　藤岡陽子

二〇二二年九月十一日　初版第一刷発行
二〇二四年十一月十三日　第四刷発行

発行人　石川和男
発行所　株式会社 小学館
〒一〇一-八〇〇一
東京都千代田区一ツ橋二-三-一
電話　編集〇三-三二三〇-五八二七
販売〇三-五二八一-三五五五
印刷所――中央精版印刷株式会社

この文庫の詳しい内容はインターネットで24時間ご覧になれます。
小学館公式ホームページ　https://www.shogakukan.co.jp

ISBN978-4-09-407177-1